Les huiles essentielles

L'AROMATHÉRAPIE

Données de catalogage avant publication (Canada)

Huard, Danielle

Les huiles essentielles

Nouv. éd.

(Collection Santé naturelle)

ISBN: 2-7640-0654-3

1. Aromathérapie. 2. Huiles essentielles – Emploi en thérapeutique. 3. Plantes aromatiques – Emploi en thérapeutique. 4. Phytothérapie. I. Titre. II. Collection: Collection Santé naturelle (Outremont, Québec).

RM666.A68H82 2002   615'.321   C2002-940664-1

LES ÉDITIONS QUEBECOR
7, chemin Bates
Outremont (Québec)
H2V 4V7
Tél.: (514) 270-1746

© 2002, Les Éditions Quebecor, pour la présente édition
Bibliothèque nationale du Québec
Bibliothèque nationale du Canada

Éditeur: Jacques Simard
Coordonnatrice de la production: Dianne Rioux
Conception de la couverture: Bernard Langlois
Illustrations de la couverture: Artville
Révision: Francine St-Jean
Infographie: Composition Monika

Nous reconnaissons l'aide financière du gouvernement du Canada par l'entremise du Programme d'Aide au Développement de l'Industrie de l'Édition pour nos activités d'édition.

Gouvernement du Québec – Programme de crédit d'impôt pour l'édition de livres – Gestion SODEC.

Imprimé au Canada

Les huiles essentielles

L'AROMATHÉRAPIE

DANIELLE HUARD

avec la collaboration de

ISABELLE HUARD

LES ÉDITIONS
Quebecor
QUEBECOR MEDIA

Vous ne pouvez imaginer le bonheur que je ressens
à cueillir une simple fleur et m'en faire une amie.
Mieux, grâce aux cadeaux de la nature, je puis
toujours garnir mon armoire de mélanges odorants
et utiles à mon bien-être. Et quel plaisir d'apprendre
à mieux se connaître en partant d'un doux parfum ;
après tout c'est en allant à la recherche d'aromates
que Christophe Colomb a découvert l'Amérique.

Je dédie ce livre à mes deux enfants, Joey et Émilie ;
ils m'ont grandement sensibilisée au monde merveilleux des arômes. Un gros merci également à ma
sœur Isabelle qui m'a grandement aidée pour la
rédaction de ce livre.

Table des matières

I

Qu'est-ce que les huiles essentielles ?

Les huiles essentielles sont des liquides aromatiques non huileux qui se retrouvent naturellement dans diverses parties des plantes, des herbes, des fleurs, des fruits, des bois et des épices. Elles constituent la plus grande force vitale de la plante. Elles ont la capacité de fortifier le système immunitaire ainsi que de stimuler les aptitudes naturelles de guérison de notre corps.

II

Qu'est-ce que l'aromathérapie ?

L'aromathérapie est l'art et la science d'utiliser des huiles essentielles pour maintenir ou améliorer la santé et la beauté. Étymologiquement, ce mot signifie le traitement des maladies (thérapie) par les arômes (essences ou huiles essentielles provenant de plantes aromatiques). Toutes les anciennes civilisations (égyptienne, grecque, romaine, chinoise et indienne) ont utilisé l'aromathérapie pour leur bien-être physique et psychologique.

Le mot «aromathérapie» fut inventé en 1928 par René Maurice Gattefosse, un chimiste français. Il découvrit accidentellement les propriétés de guérison de la lavande lorsqu'il s'infligea une brûlure aux mains à la suite d'une expérience. Il plongea ses mains dans une cuve remplie d'huile de lavande pure, puisque c'était la chose la plus rafraîchissante et la plus calmante qui se trouvait à sa portée. Il découvrit alors que ses mains guérissaient très rapidement sans laisser aucune cicatrice. Cette expérience lui conféra le titre de père fondateur de l'aromathérapie.

De nos jours, l'aromathérapie est une technique de médecine naturelle et alternative, qui s'avère autant préventive que curative. Ce guide pratique vise à vous familiariser avec l'utilisation des huiles essentielles, ce qui vous permettra de comprendre facilement les secrets souvent inaccessibles de la nature.

Comment obtient-on une huile essentielle ?

Le processus général d'obtention des huiles essentielles se fait selon la méthode de la distillation. Cette distillation à la vapeur d'eau de plantes et d'arbres aromatiques vise à en retirer leurs extraits naturels. L'essence de la plante, qui est contenue dans ses micropoches, est libérée sous l'effet de la chaleur et de la condensation. Une huile essentielle est constituée exclusivement de molécules aromatiques, à condition que sa pureté soit totale et qu'elle ait été distillée convenablement.

Les critères de qualité

La majorité des huiles essentielles proviennent de la culture biologique sauvage de la plante. Plus une plante a été soumise aux intempéries lors de sa croissance, plus elle sera de meilleure qualité puisqu'elle aura été renforcée. Si la plante est trop protégée, elle sera plus faible et son essence s'en ressentira. Les pesticides et les insecticides ne passent pas dans les huiles essentielles, sauf pour les essences de citron, d'orange et de pamplemousse, puisque le processus d'extraction est différent : on presse l'écorce du fruit. Les huiles essentielles sont souvent modifiées avec de l'alcool, de l'huile végétale ou d'autres huiles de moins bonne qualité. Leurs propriétés thérapeutiques s'en trouvent alors atténuées. Méfiez-vous des huiles à bas prix. Une bonne huile essentielle coûte cher.

La conservation

L'huile essentielle se conserve parfaitement bien quelques années, à l'abri de la chaleur et de la lumière. On a d'ailleurs retrouvé des essences dans des doubles jarres en terre cuite dans les pyramides d'Égypte. Des flacons en verre teinté sont nécessaires à la bonne conservation des huiles essentielles. Après un an ou deux, on n'utilise plus les huiles essentielles en traitement interne. Elles peuvent toutefois servir dans les diffuseurs d'arômes, sans inconvénient. L'eau florale est très fragile et ne se conserve pas longtemps. Elle doit être déposée dans des flacons de verre teinté à l'abri de la chaleur, et ce, pour une période d'environ trois mois.

Propriétés générales

La plupart des huiles essentielles sont antiseptiques, antimicrobiennes et anti-infectieuses. De plus, certaines revitalisent et stimulent l'énergie vitale. D'autres aident à régulariser le système nerveux et les glandes hormonales. Enfin, elles peuvent servir à désintoxiquer et permettent l'élimination des toxines. L'utilisation d'une huile essentielle de première qualité permet d'obtenir des résultats très rapidement.

Synergie d'action

La synergie résulte d'une utilisation simultanée de plusieurs propriétés pouvant renforcer l'effet de chaque huile essentielle. Le mélange de plusieurs huiles essentielles ayant des propriétés similaires donnera un produit dont l'effet sera plus puissant. Il faut cependant tenir compte de l'incompatibilité qu'ont certaines huiles essentielles ensemble. Par exemple, il ne faut jamais mélanger une huile essentielle relaxante avec une huile tonifiante.

Modes d'utilisation

Les huiles essentielles peuvent être utilisées dans les cas suivants : friction, inhalation, vaporisation, bain aromatique, diffusion, bain de pieds en compresse, massage et soin de la peau. Dans certains cas, il est possible d'en faire un usage interne, mais il ne faut pas dépasser trois gouttes par jour, sauf sur conseil d'un thérapeute. On utilise habituellement 2 à 3 % d'huile essentielle dans un solvant naturel de base. Voici quelques exemples d'équivalences pour les proportions à utiliser : 20 gouttes d'huile essentielles équivalent à 1 mL d'huile essentielle ; 5 mL d'huile essentielle valent une cuillère à café, et 15 mL valent une cuillère à soupe. Les huiles essentielles doivent souvent être diluées dans un solvant naturel, comme de l'huile d'amande douce, de l'huile de germe de blé, de la crème neutre ou de l'huile de millepertuis. Par exemple, on dilue 10 gouttes d'huile essentielle dans 20 mL de solvant naturel, 25 gouttes dans 50 mL de solvant naturel et 50 gouttes dans 100 mL de solvant naturel.

Précautions fondamentales à respecter lors de l'emploi des huiles essentielles

1. Choisir des huiles essentielles contrôlées et de qualité irréprochable, et éviter les « essences » dites naturelles. Les huiles essentielles provenant de la distillation de plantes sauvages ou de cultures saines possèdent des vertus supérieures à celles qui proviennent de plantes cultivées à l'aide de substances chimiques.

2. Certaines huiles essentielles peuvent être nocives, comme le girofle, l'origan, la sarriette, le thym et la cannelle. Elles ne doivent jamais être utilisées pures sur la peau, sauf en usage externe localisé (boutons, verrues). Elles doivent être diluées dans un solvant naturel afin d'éviter toutes brûlures. Les huiles essentielles (sans exception) ne doivent pas être appliquées pures sur les parties sensibles du corps (aires génitales et anales, aisselles, visage), sauf sur avis d'un professionnel.

3. En cas d'allergie connue, faire preuve de la plus grande prudence en utilisant les huiles essentielles, notamment pour les allergies cutanées (comme l'eczéma) et respiratoires.

4. S'il y a contact d'huile essentielle pure avec les yeux ou la peau, verser immédiatement de l'huile végétale dans l'œil ou sur la peau pour la diluer. Passer ensuite un coton imbibé d'huile végétale pour éliminer toute trace d'huile essentielle.

5. En cas d'ingestion accidentelle d'huile essentielle pure, l'absorption d'huile végétale permet de réduire l'irritation des muqueuses digestives. Faire vomir au besoin.

6. Pendant la grossesse, les huiles essentielles devront être utilisées avec prudence. Pour les enfants, les huiles essentielles doivent être diluées dans un solvant naturel. Plus ils sont jeunes, moins importantes sont les doses données.

7. Éviter de s'exposer au soleil durant la journée, suivant l'utilisation des huiles essentielles à base d'agrumes.

Quelques chiffres éloquents

L'huile essentielle est le produit concentré de plantes qui sont utilisées en très grand nombre. Voici quelques exemples qui illustrent l'importance des plantes utilisées pour l'obtention d'une huile essentielle :

Pour une tonne de plante fraîche, on obtiendra :

— 20 à 30 L d'huiles essentielles de cyprès, d'eucalyptus et de niaouli ;

— 10 L d'huiles essentielles de genièvre, de laurier, de lavande et de sassafras ;

— 3 à 4 L d'huiles essentielles de myrrhe et de sauge sclarée ;

— 1 à 3 L d'huiles essentielles de bergamote, de citron, de géranium, de bois de rose et de thym ;

— 15 à 20 mL d'huile essentielle de camomille ;

— 3 à 8 mL d'huile essentielle de rose.

Ces différences considérables entre 30 L et 3 mL pour une tonne de plante fraîche (soit mille fois moins !) expliquent pourquoi il en coûte si cher pour de l'huile essentielle de rose, et la tentation de la falsifier...

III

Les huiles essentielles les plus courantes

Basilic (*Ocimum basilicum*, du grec *basilikon* qui veut dire «plante royale»)

Le basilic parfume les jardins de la France où il est très apprécié dans la cuisine provençale, surtout dans la préparation des sauces et des pâtes. C'est également une herbe qu'on prend plaisir à cultiver chez soi. Il y a environ 150 sortes de basilic; leurs différences se retrouvent dans leurs feuilles, leur grandeur et leur couleur. Ce sont d'ailleurs les feuilles qui sont distillées pour obtenir l'huile essentielle.

Au XVIe siècle, les feuilles de basilic étaient utilisées en poudre pour soulager les maux de tête. Aujourd'hui, les mêmes effets peuvent être obtenus en inhalant l'essence de basilic, tout comme le romarin.

Action: Antispasmodique apaisant et rééquilibrant. Le basilic décongestionne les reins et les surrénales; il favorise la digestion ainsi que le sommeil chez les personnes anxieuses, tendues et sujettes aux spasmes.

Pour un usage externe : Lorsqu'il est ajouté à de l'huile d'amande douce, on l'utilise en friction, sur le ventre et le plexus solaire.

Pour un usage interne : On ajoute une à deux gouttes d'huile essentielle dans un verre d'eau ou encore sur un morceau de sucre.

* *Lourdeur digestive :* L'essence ajoutée aux aliments après la cuisson favorise la digestion. Elle est également très efficace en massage sur l'estomac.

* *Insomnie, anxiété, spasmes :* Déposez deux gouttes d'huile essentielle de basilic sur votre oreiller, et frictionnez votre plexus solaire avec une à deux gouttes mélangées à de l'huile d'amande douce.

Précautions : L'essence de basilic ne présente aucun problème en usage externe, mais un usage interne à doses exagérées peut avoir une action stupéfiante, car elle diminue l'activité nerveuse. Cette huile fortifie les nerfs, le cœur et les reins.

Quelques conseils

— En cas de fatigue nerveuse, d'angoisse ou d'insomnie, mélangez quelques gouttes d'essence de basilic et d'essence de marjolaine, et appliquez en massant sur le plexus solaire.

— Comme massage pour les athlètes, incorporez cinq gouttes d'huile essentielle de basilic, cinq gouttes d'huile essentielle de lavande dans un quart de tasse d'huile d'amande douce. Ce mélange relaxera les muscles fatigués et tendus après les efforts physiques.

— Pour soulager les seins congestionnés et engorgés, déposez trois gouttes d'huile essentielle de basilic dans de l'eau chaude et appliquez en compresse sur les seins.

— En ajoutant quelques gouttes d'essence de basilic une minute avant la fin de la cuisson, vous rehausserez le fumet de votre poisson. Également, une à deux gouttes d'huile essentielle de basilic dans l'huile d'olive, avec le jus d'un citron et un peu de sel s'avérera une très bonne vinaigrette pour votre salade de tomates. L'hydrosol de basilic sert d'assaisonnement pour les potages, les vinaigrettes et les soupes de tout genre.

Recette : Salade de tomates au basilic et au yogourt

6 grosses tomates tranchées
1 petit oignon coupé en tranches fines
1 c. à café de basilic frais ou séché
2 gousses d'ail (si désiré)

Vinaigrette
1 petit yogourt nature
2 c. à soupe d'huile d'olive
1 pincée de sel marin
2 gouttes d'huile essentielle de basilic

Déposez les tranches de tomates dans une belle assiette de service. Parsemez-les de fines tranches d'oignon et saupoudrez ensuite le basilic uniformément. Versez ensuite votre vinaigrette aromatisée au basilic sur votre salade composée.

Le basilic est un tonique nerveux, il est très bon pour enrayer les fatigues nerveuses et le surmenage intellectuel. Cette salade est excellente à manger lors d'une journée de travail chargée.

Bergamote (de l'italien *bergamotta*)

L'huile est extraite du fruit du bergamotier, de couleur jaune et vert. Cette huile essentielle est utilisée depuis plus d'une centaine d'années en Italie, mais ce n'est que depuis quelque temps qu'on en connaît les bienfaits en Amérique. L'odeur de la bergamote ressemble beaucoup à celle de l'orange.

Action: Antidépresseur, enraye l'infection du système urinaire, enlève l'anxiété et tout problème de peau.

Pour tous les gens anxieux et dépressifs, la bergamote devrait toujours être utilisée en massage. L'huile essentielle de bergamote est très apaisante également lorsqu'elle est utilisée avec le diffuseur d'huiles essentielles.

La bergamote s'avère aussi excellente pour l'appétit puisqu'elle contrôle directement son centre dans le cerveau. En travaillant sur les tensions, elle va aider à enrayer les problèmes de compulsions alimentaires causés souvent par les émotions.

Précautions: Attention: la bergamote ne doit jamais être utilisée seule! On doit la diluer avec de l'eau ou encore avec de l'huile d'amande douce. Ne pas l'utiliser si une exposition au soleil est prévue; elle attire les rayons du soleil et crée des taches sur la peau.

Quelques conseils

— L'huile essentielle de bergamote est très efficace pour traiter les problèmes d'acné chez les adolescents. En plus de « guérir » ce problème de peau, elle enlèvera l'anxiété découlant de cette difficile période à traverser. Pour toutes les peaux grasses ou sujettes à l'infection cutanée, la bergamote est un excellent régulateur.

— Une compresse d'eau chaude imbibée de quelques gouttes d'huile essentielle de bergamote aidera à guérir l'infection causée par l'apparition d'un clou (furoncle).

— Vous pouvez également verser quelques gouttes d'huile essentielle dans l'eau d'arrosage de vos plantes. Elle éloigne les insectes.

Recette

Dans de nombreux desserts, l'essence de bergamote rehaussera la saveur de vos flans, de la purée de pommes, de la crème glacée ou encore des sorbets. Il suffit d'ajouter une goutte d'huile essentielle à vos plats sucrés préférés.

Bois de rose (*Aniba Rosaedora*)

L'huile essentielle est extraite du bois d'un énorme arbre de couleur jaune et blanc, veiné de rose. Cet arbre pousse surtout au Brésil et dans le sud de l'Amérique, ainsi que dans les forêts amazoniennes. Le bois de rose prend plusieurs années à atteindre sa maturité totale. L'huile essentielle de bois de rose dégage une douce odeur boisée et florale.

Action : C'est un tonique doux, sans toutefois être un stimulant. L'huile essentielle de bois de rose est très bénéfique pour les « lendemains de veille » ; elle aide à clarifier les idées. Le bois de rose peut aider à enrayer la fatigue et la nervosité causées par le stress. Cette huile essentielle clarifie l'atmosphère et ajoute une touche de fraîcheur à une pièce lorsqu'utilisée avec un diffuseur.

Quelques conseils

— Vous pouvez composer vos propres laits parfumés «après bain» ou «après soleil». Ils sont très rafraîchissants en plus de laisser une odeur agréable sur votre peau, dès l'application.

— *Au géranium:*

100 mL de lait neutre corporel ou d'huile d'amande douce
15 gouttes d'huile essentielle de bois de rose
10 gouttes d'huile essentielle de géranium

— *À la rose:*

100 mL de lait neutre corporel ou huile d'amande douce
10 gouttes d'huile essentielle de bois de rose
15 gouttes d'huile essentielle de rose

— L'hydrosol (eau de rose) est parfait pour tous les types de peau. Vous pouvez également y ajouter de la lavande pour la peau fragile de bébé.

Cajeput (*Melaluca Lencadendron*, du malais *cajuputi* qui veut dire «arbre blanc»)

Ce bel arbre de 15 mètres de haut pousse dans les îles de l'océan Indien, en Indonésie, au Viêt-nam et dans le nord de l'Australie. L'huile essentielle de cajeput est obtenue par la distillation des feuilles et a une odeur camphrée.

Action: C'est un antiseptique pulmonaire et intestinal, en plus d'être sudorifique. L'huile essentielle de cajeput aide à calmer les rhumatismes. Elle est vermifuge (aide à évacuer les parasites intestinaux) et traite efficacement les problèmes de peau, comme l'acné ou le psoriasis (plaques rouges recouvertes d'épaisses squames blanches). Elle soigne les laryngites chroniques et elle se caractérise comme une huile calmante.

Précautions : Lorsqu'elle est utilisée à fortes doses, l'huile essentielle de cajeput peut provoquer des vomissements et des brûlures.

Quelques conseils

— Pour toute névralgie dentaire, appliquez une goutte à l'aide d'un coton-tige directement sur la dent douloureuse.

— Pour les névralgies de l'oreille, déposez une goutte d'huile essentielle de cajeput sur un coton-tige et insérez-le dans l'oreille ; vous pouvez également masser le contour de l'oreille avec l'essence.

— En usage interne, on peut utiliser le cajeput comme un sirop. Pour les bronchites chroniques, ajoutez une goutte de cajeput, une goutte de pin et une goutte de niaouli dans une cuillère à café de miel. Pour calmer l'asthme, utilisez une goutte de cajeput, une goutte d'hysope et une goutte de lavande également dans du miel.

— Lorsque vous souffrez de diarrhée, frictionnez-vous le ventre avec un baume composé de cinq gouttes d'huile essentielle de cajeput dans un quart de tasse d'huile d'amande douce. Le même mélange peut soulager les douleurs articulaires et rhumatismales en frictionnant la région douloureuse plusieurs fois par jour.

Camomille (*Matricaria chamomilla* ou *Anthemis nobilis*, du grec *khamaimêlon*)

Cette plante odorante provient de la famille des composées et plusieurs espèces (camomille romaine, sauvage ou matricaire) sont utilisées en infusion pour leurs propriétés apéritives, digestives et antispasmodiques. Seules les camomilles romaine et allemande sont utilisées pour la confection de l'essence. L'huile est obtenue par la distillation de la fleur de camomille récemment séchée ; la distillation est très délicate et nécessite une grande quantité de fleurs, ce qui explique son prix très élevé.

Action : L'huile essentielle de camomille ouvre les portes de l'éveil spirituel et favorise la méditation. Elle est anti-inflammatoire et soulage les sinusites, les migraines ainsi que les maux de tête. Elle prévient également les allergies, traite les dermatoses (toutes maladies de peau comme l'eczéma ou l'urticaire), les brûlures. Elle est très utile pour les percées de dents. On lui attribue aussi des bienfaits pour les personnes qui souffrent de vertiges, de digestion pénible, de dépression nerveuse ou encore qui sont atteintes d'herpès.

Quelques conseils

— Pour traiter les dermatoses, l'eczéma, l'urticaire, mettez quelques gouttes d'huile essentielle de camomille sur une ouate de coton et laissez agir sur la région affectée pendant plusieurs heures.

— Pour les sinusites, les migraines et les maux de tête, frictionnez la région sensible avec quelques gouttes d'huile essentielle, ou encore appliquez en compresse une serviette préalablement imbibée d'eau mélangée avec cinq gouttes d'essence de camomille. Laissez agir pendant au moins 15 minutes.

— Les percées de dents difficiles seront atténuées en massant doucement les gencives avec une goutte d'huile essentielle de camomille romaine.

— Pour un rééquilibre nerveux efficace, appliquez directement quelques gouttes d'huile essentielle sur le plexus solaire et dans le pli des coudes. Faites ce traitement le matin et surtout le soir, vers 18 heures.

— En diffusion dans l'atmosphère, l'huile essentielle de camomille réduit les allergies et favorise l'harmonie ainsi que la créativité lorsque quelques gouttes de bois de rose et de cèdre sont ajoutées dans le diffuseur.

Précautions : Assurez-vous que votre huile essentielle de camomille soit pure. Certaines imitations, à prix moins élevé, contiennent de la térébenthine et les résultats s'en trouveront estompés.

Quelques conseils

— Vous pouvez composer votre propre huile aromatique calmante pour le bain en ajoutant cinq gouttes d'huile essentielle de camomille, cinq gouttes de néroli et cinq gouttes de lavande dans un quart de tasse d'huile d'amande douce.

— Vous calmerez votre enfant agité en le frictionnant d'une huile de massage composée de 5 gouttes d'huile essentielle de camomille, 10 gouttes d'huile essentielle d'orange dans 60 mL d'huile d'amande douce ou d'huile de germe de blé.

— L'hydrosol de camomille (eau de camomille) est très bénéfique pour le rinçage des cheveux blonds. Il deviendra un agréable tonique facial pour les peaux couperosées (coloration rouge du visage causée par une dilatation des vaisseaux capillaires) avec de l'hydrosol de sauge, de lavande et de cèdre.

Cannelle (*Cinnamonum zeylanicum*)

La cannelle est extraite de l'écorce d'un arbre nommé cannelier qui se retrouve surtout en Inde, en Chine et au Sri Lanka. Cet aromate fait partie de nos coutumes culinaires depuis de nombreuses années. Les parties utilisées pour obtenir l'huile essentielle sont l'écorce et les feuilles.

Action: L'huile essentielle de cannelle est antiseptique, stimulante et est reconnue pour son pouvoir aphrodisiaque. Elle favorise une meilleure digestion, est stimulante au niveau de l'utérus et est anti-infectieuse. Elle élève la température du corps et s'avère très efficace pour les pertes de conscience. Une simple inhalation d'huile essentielle de cannelle réanime une personne évanouie.

Précautions: L'huile qui entre en contact direct avec la peau provoque une sensation de brûlure qui disparaît au bout de quelques minutes. Ne prenez jamais de bain avec de l'huile essentielle de cannelle pure; les résultats pourraient être très souffrants: vous ressortirez criblé de petites brûlures!

Quelques conseils

— Pour en finir avec les problèmes de diarrhée, déposez une goutte d'huile essentielle de cannelle dans le nombril et renouvelez le tout aux trois heures.

— Les débuts de grippe en resteront là si vous vous frictionnez le cou et la poitrine avec une goutte d'huile essentielle. Vous pouvez également déposer une goutte sur la langue aux trois heures.

— En diffusion plusieurs fois par jour dans la chambre d'un malade fiévreux, l'huile essentielle de cannelle lui redonnera des forces.

— Les propriétés aphrodisiaques de l'huile essentielle de cannelle sont indiscutables. Alors pourquoi ne pas confectionner votre propre huile de massage stimulante ?

3 gouttes d'huile essentielle de cannelle
15 gouttes d'huile essentielle de bois de rose
7 gouttes d'huile essentielle de santal ou de ylang-ylang
Le tout dans 50 mL d'huile de germe de blé ou d'amande douce. Vous l'utiliserez en massage doux avec votre partenaire... avant les jeux de l'amour !

— Pour toute fatigue sexuelle, frictionnez la région du cœur avec le mélange suivant :

5 gouttes d'huile essentielle de cannelle
5 gouttes d'huile essentielle de romarin
5 gouttes d'huile essentielle de sarriette
50 mL d'huile d'amande douce
Si vous désirez augmenter l'effet, frictionnez le bas du dos et le ventre.

Carvi (Carum carvi, aussi appelé cumin ou caraway, de l'arabe karawiya)

Cette plante des prairies pousse à l'état sauvage en Allemagne, en Sibérie et en Scandinavie. Ses fruits

aromatiques s'emploient surtout comme assaison-
nements, mais ce sont les graines qui sont utilisées
pour la fabrication de l'huile essentielle. Sa saveur
est douce et chaude.

Action: Le carvi est stimulant pour les fonctions
intestinales puisqu'il prévient les fermentations génératrices de gaz, les ballonnements, et il est très
apprécié pour ses qualités diurétiques.

Quelques conseils

— Si vous êtes sujet aux ballonnements ou encore
aux gaz, ajoutez une goutte d'huile essentielle
de carvi sur un morceau de sucre et prenez-le
après le repas. Vous pouvez également vous
frictionner le bas du ventre avec quelques gouttes mélangées à de l'huile d'amande douce.

— Si vous souffrez de colite (inflammation du cô-
lon), il vous est possible de vous préparer une
composition calmante qui fera une excellente
huile de massage :

10 gouttes d'huile essentielle de carvi
5 gouttes d'huile essentielle de marjolaine
10 gouttes d'huile essentielle de lavande
2 gouttes d'huile essentielle de camomille

Versez les gouttes dans 100 mL d'huile de germe de
blé ou d'amande douce et massez le bas du ventre
avec ce baume anti-inflammatoire.

Recettes

Pour tous vos plats culinaires mijotés comme le
ragoût, la choucroute, le couscous ou le chili con
carne, l'huile essentielle de carvi s'ajoute admirablement bien, à raison de quatre gouttes lors de la

cuisson et une goutte au moment de servir. Ces proportions sont calculées selon un plat convenant à six personnes.

Cèdre (*Cedrus Atlantica*, du grec *kedros*)

L'huile essentielle provient du cèdre de l'Atlas (Afrique) et nous connaissons aussi celui qui pousse en Virginie. Le cèdre est très utile en dermatologie. D'ailleurs, les Égyptiens embaumaient jadis les momies avec un mélange composé d'huile de cèdre, et son bois tenait une grande place pour la conservation du corps. De couleur jaune, l'huile essentielle de cèdre est quelque peu visqueuse et dégage un parfum boisé.

Action: Cette huile essentielle soulage la démangeaison, est un excellent tonique capillaire en plus d'être un antiseptique urinaire et pulmonaire. Son action est très efficace pour soigner les maladies de peau et les affections du cuir chevelu. Elle aide également à évacuer le mucus lors de congestions nasales.

Précaution: N'utilisez pas l'huile essentielle de cèdre pendant la grossesse.

Quelques conseils

— Pour toute dermatose, eczéma sec ou pour soulager les piqûres d'insectes, il suffit d'ajouter quelques gouttes sur un coton que vous appliquerez sur la région affectée pendant au moins une demi-heure.

— Afin de ralentir la chute de cheveux, il est conseillé de frictionner la tête d'un mélange de 10 gouttes d'huile essentielle de cèdre dans un quart de tasse d'huile d'amande douce, en prenant soin de laisser agir pendant toute la nuit.

— Certaines huiles essentielles comme le pin, le cèdre et la verveine aident à décontracter les poumons lorsqu'on les utilise en inhalation.

— L'huile essentielle de cèdre assainit et régénère la peau ; elle efface également les cicatrices causées par l'acné. Les hommes aimeront l'odeur boisée d'une lotion qu'ils pourront se confectionner eux-mêmes et utiliser après le rasage :

20 gouttes d'huile essentielle de cèdre
5 gouttes d'huile essentielle de lavande
dans un peu d'huile d'amande douce.

Citron (*Citrus limonum*, du latin *citrus*)

Ce fruit du citronnier pousse dans les régions méditerranéennes et subtropicales, et est principalement cultivé en Espagne et au Portugal. Il est également très populaire en Californie. L'huile essentielle est obtenue par la distillation de la partie externe de l'écorce du fruit. Il faut compter environ 3000 citrons pour obtenir 1 L d'huile essentielle. Seul le jus de citron (pulpe fraîche) contient de l'acide citrique, des sels minéraux et des oligo-éléments. Le citron est très riche en vitamines A (croissance, régénérescence tissulaire), C (bénéfique pour la glande endocrine), PP (protection vasculaire) et, surtout, B (nutrition et équilibre nerveux). La provitamine A se retrouve dans la peau du fruit. N'ayez aucune hésitation : c'est une des huiles essentielles à posséder dans sa pharmacie naturelle à la maison.

Action : L'huile essentielle de citron détient plusieurs propriétés intéressantes : tonique, parce qu'elle stimule le système de défense, et antiseptique, parce qu'elle est un puissant produit bactéricide dans le cas d'infections de gorge ou de peau. Elle tonifie le système nerveux, est un excellent cicatrisant (elle purifie les petites plaies et favorise leur cicatrisation). C'est une huile essentielle bienfaisante pour les soins de la peau. On l'utilise à titre de dépuratif, puisqu'elle favorise les fonctions hépato-biliaires. Elle aide à traiter les rhumatismes en purifiant le sang. De plus, elle éloigne les insectes.

Précautions: Il est important de garder le flacon d'huile essentielle de citron dans un endroit frais et obscur, car elle s'altère à la lumière.

Quelques conseils

— Le citron est reconnu pour arrêter efficacement le sang, surtout dans le cas de petits accidents. Pour les saignements de nez ou dans le cas d'extraction de dents, le citron est une petite merveille.

Pour les saignements de nez: trempez un coton dans le jus de citron et insérez-le dans la narine. Pour les extractions de dents: rincez-vous la bouche avec le jus pur d'un citron et recommencez plusieurs fois. Vous pouvez également prendre un morceau de citron et le serrer sur l'endroit où a eu lieu l'extraction pendant plusieurs minutes ou jusqu'à ce qu'il y ait arrêt de saignement.

— Si vous souffrez d'une conjonctivite, une goutte de jus de citron (et non d'huile essentielle) déposée dans l'œil une à trois fois par jour résout tout problème d'inflammation dans les heures qui suivent.

— Le jus de citron peut être pressé dans une eau douteuse puisqu'il tue toutes les bactéries nuisibles.

— Le mal de gorge et le début de grippe seront soulagés en déposant une goutte d'huile essentielle de citron sur la langue ou sur un morceau de sucre aux trois heures. Il est également efficace de se masser la gorge et la poitrine avec l'huile essentielle pure.

— Les peaux grasses ou sujettes à l'acné seront régularisées grâce à l'application d'un masque d'argile verte dans lequel vous aurez mis cinq gouttes d'huile essentielle de citron. Laissez le masque sur le visage pendant 10 minutes. Ce traitement effectué une fois par semaine donnera des résultats encourageants très rapidement. Vous pouvez aussi appliquer directement sur le furoncle (ou tout type de bouton) l'huile essentielle de citron imbibée dans un coton-tige.

— Pour les problèmes de gencives, vous n'avez qu'à appliquer sur le doigt une goutte d'huile essentielle et massez les gencives pendant une minute. Le tout doit être fait avant le coucher afin de laisser agir toute la nuit.

— Vos ongles sont fragiles, cassants et se dédoublent? Vous pouvez les renforcer en vous massant les ongles deux fois par semaine avec une lotion douce composée de cinq gouttes d'huile essentielle de citron dans une cuillère à café d'huile d'amande douce.

— L'huile essentielle de citron est idéale en diffusion pour désinfecter le lieu de travail ou une chambre de malade.

Coriandre (du grec *koriandron*)

Cette plante méditerranéenne est surtout connue pour son utilité aromatique en cuisine. Le fruit aromatique de la plante est la partie utilisée afin d'obtenir l'huile essentielle. Cette huile est d'ailleurs très populaire dans la confection des parfums.

Action : C'est une huile essentielle agréablement tonique et aphrodisiaque. On l'utilise pour ses qualités digestives ; elle s'avère un excellent stimulant de la mémoire. À prendre dans le cas de toute fatigue physique, nerveuse et glandulaire. Elle facilite également l'élimination des gaz intestinaux.

Précautions : À forte dose, l'huile essentielle de coriandre excite puis déprime. À faible dose, cependant, c'est un puissant tonique stimulant et euphorique. Lorsqu'elle est utilisée adéquatement, l'huile essentielle de coriandre est parfaite pour les jours où l'on est maussade et fatigué.

Quelques conseils

— L'huile essentielle de coriandre a un effet digestif si l'on en prend une goutte après avoir mangé. Elle devient tonique si l'on en prend une goutte entre chaque repas.

— Quelques gouttes d'huile essentielle de coriandre frictionnées matin et soir sur le plexus solaire, la nuque et la colonne vertébrale constitueront un excellent tonique aphrodisiaque.

Cyprès (*Cupressus semperivens*, du latin *cupressus*)

Ce conifère, commun dans le sud de l'Europe, est parfois planté en haies comme coupe-vent à cause de sa taille élancée. L'huile essentielle de cyprès est obtenue à partir des noix de l'arbre. On utilise parfois ses feuilles.

Action: Le cyprès est un bon tonique vasculaire; il redonne du tonus au système veineux. C'est également un anti-infectieux léger, il calme la toux persistante et s'avère un excellent déodorant. L'huile essentielle de cyprès est très astringeante, c'est-à-dire qu'elle aide à diminuer tout excès de fluide. C'est une huile à utiliser si vous souffrez d'œdème, de transpiration excessive, de gencives qui saignent ou si vous avez la peau grasse et très huileuse. De même, cette huile est un bon tonique pour le système respiratoire.

Précautions: Appliquée pure sur les hémorroïdes, l'huile essentielle de cyprès provoque, pendant quelques secondes, une sensation de chaleur qui s'estompe et qui fait place peu à peu à un soulagement très apprécié. Évitez également de prendre l'huile essentielle de cyprès le soir, puisqu'elle pourrait troubler votre sommeil. Lorsqu'on abuse de l'huile de cyprès, cela peut causer des vertiges et des bouffées de chaleur.

Quelques conseils

— Les hémorroïdes seront calmées en quelques minutes si vous appliquez directement quelques gouttes d'huile essentielle de cyprès sur la partie sensible.

— Pour soulager les jambes lourdes et les varices, il suffit de frictionner les jambes chaque jour avec un peu de cette huile. Vous pouvez également vous préparer une huile de massage efficace à appliquer sur les jambes en ajoutant

15 gouttes d'huile essentielle de cyprès à un quart de tasse d'huile d'amande douce.

— Les enfants qui urinent au lit auront tôt fait de se débarrasser de cette mauvaise habitude si vous leur donnez une demi-goutte d'huile essentielle de cyprès à 10 heures et à 17 heures, chaque jour.

— L'hydrosol de cyprès est très bénéfique pour les cheveux fragiles et cassants, ou encore pour traiter la dermatose du cuir chevelu.

— Pour diminuer la transpiration des pieds, il suffit de verser cinq gouttes d'huile essentielle de cyprès dans de l'argile blanche ou dans votre poudre habituelle, et d'en saupoudrer uniformément les pieds.

— L'huile essentielle de cyprès a la qualité d'être antispasmodique; son efficacité vise spécialement les bronches. C'est donc une huile de choix pour traiter les problèmes que vivent les asthmatiques. Il est bon de diffuser cette huile dans les chambres, surtout le soir, afin de prévenir toute crise d'asthme.

Eucalyptus (*Eucalyptus globulus*, du grec *eukaluptos*, qui veut dire «bien couvert»)

Cet arbre est originaire de l'Australie, où il peut atteindre plus de 100 mètres de hauteur. On le retrouve également en Tasmanie, dans le nord de l'Afrique et dans le midi de la France, où il atteint environ 30 mètres de hauteur. Il existe plus de 800 espèces différentes d'eucalyptus et son huile essentielle, qu'on appelle également eucalyptol, est obtenue par la distillation des feuilles.

Action: L'eucalyptus est reconnu pour son pouvoir bactéricide. C'est un antiseptique puissant pour les voies respiratoires (expectorant) et son efficacité se retrouve surtout dans le traitement des affections récentes. On l'emploie conjointement avec l'huile essentielle de thym et de citron. En plus d'être un antiseptique pour le système urinaire, il assainit l'air du corps et prévient les épidémies. Tout comme le citron, l'eucalyptus éloigne infailliblement les insectes.

Quelques conseils

— Pour remédier aux sinusites, nez bouchés et débuts de grippe, frictionnez-vous le nez, les sinus et la gorge avec l'huile essentielle d'eucalyptus plusieurs fois par jour.

— Pour faire baisser la fièvre, vous pouvez appliquer l'huile essentielle d'eucalyptus en frottant le dessous des pieds.

— L'hydrosol d'eucalyptus est bénéfique pour les problèmes respiratoires chez les bébés. Puisqu'il est déconseillé d'utiliser les huiles essentielles pures sur les bébés, vous pouvez diluer le tout en versant une cuillère à café d'hydrosol dans une tasse d'eau, et appliquer ensuite en massage doux sur l'abdomen de l'enfant.

— Tel que mentionné plus haut, l'eucalyptus éloigne les moustiques. Vous pouvez vous préparer une lotion pour le corps en ajoutant à l'eucalyptus de la bergamote et de la lavande. Vous pouvez également vous servir de l'huile essentielle d'eucalyptus en diffuseur. Vous obtiendrez les mêmes effets.

Recettes

Si vous possédez un diffuseur d'arômes, voici quelques formules bienfaisantes à faire soi-même :

— La formule respiratoire spéciale pour enfants : eucalyptus, cajeput, lavande, pin, romarin, thym.

— La formule respiratoire spéciale pour adultes : eucalyptus, cajeput, girofle, menthe, sarriette, verveine.

— La formule spéciale tonique : eucalyptus, genièvre, girofle, pin, romarin, sarriette.

Genièvre (*Juniperius communis*, du latin *juniperus*)

Ce fruit du genévrier est également appelé baie de genièvre. L'huile essentielle de genièvre est obtenue par la distillation du bois de genévrier et par la distillation des feuilles de l'arbre. Cette dernière ne donne cependant pas les mêmes effets que la distillation du bois. On retrouve le genièvre en Europe centrale, en Suède et au Canada. Nous connaissons également le genièvre comme étant une eau-de-vie très appréciée, obtenue par la distillation de moût de céréales en présence de baies de genièvre. La saveur de l'huile essentielle de genièvre est à la fois douce et piquante.

Action: Les principales qualités de l'huile essentielle de genièvre sont d'être antirhumatismale, diurétique, ce qui veut dire qu'elle élimine l'acide urique, est antiseptique pour les systèmes digestif et urinaire en plus d'être cicatrisante. Le genièvre favorise l'élimination des toxines du corps, qui causent parfois les rhumatismes et l'arthrite. Fait intéressant, le genièvre est d'une grande utilité pour les soins vétérinaires. Il aide à tuer les puces et guérit les affections inflammatoires de la peau chez les chiens. Le pouvoir nettoyant de l'huile essentielle de genièvre travaille également sur le plan psychologique, puisqu'elle purifie les idées chez les gens qui sont exposés aux influences extérieures, qui sont en contact avec beaucoup de personnes dans leurs réalisations personnelles ou à leur travail. L'huile essentielle de genièvre aide à refaire le plein d'énergie.

Précautions : L'huile essentielle de genièvre prise à petites doses stimule l'organisme. À fortes doses, cependant, elle peut provoquer l'excitation et des brûlures de l'appareil digestif.

Quelques conseils

— Un mélange composé de 20 gouttes d'huile de genièvre dans 50 mL d'huile d'amande douce constituera une excellente huile à friction pour les réchauffements musculaires. Frictionnez-vous de cette lotion, au besoin.

— Un bain contenant de l'huile essentielle de genièvre qui peut être combinée avec des huiles essentielles de lavande et d'orange, s'avère très bénéfique sur le plan psychique. Les mêmes résultats peuvent être obtenus en inhalant quelques gouttes de ces huiles. Il suffira de les déposer dans le creux de la main.

— Les dermatoses, l'eczéma et les plaies seront guéris si vous mettez quelques gouttes d'huile essentielle de genièvre sur un coton et l'appliquez ensuite sur la partie affectée quelques minutes.

— Pour diminuer les troubles génito-urinaires, quelques gouttes d'huile essentielle de genièvre déposées dans un peu d'huile d'amande douce auront un effet calmant si vous vous massez le bas du ventre.

— Un bain de vapeur adapté au visage sera d'une grande douceur si vous le composez de cinq gouttes d'huile essentielle de genièvre dans de l'eau chaude. Ce traitement est idéal avant les soins apportés au visage.

— Bain amincissant:

5 gouttes d'huile essentielle de genièvre
5 gouttes d'huile essentielle de geranium
5 gouttes d'huile essentielle de cyprès
2 c. à soupe d'algues vertes
1 c. à soupe de sel de mer

— Une friction bienfaisante et facile à préparer pour combattre les douleurs articulatoires, les rhumatismes et les problèmes de rétention d'eau donnera des résultats immédiats:

2 gouttes d'huile essentielle de genièvre
2 gouttes d'huile essentielle de pin
2 gouttes d'huile essentielle de romarin
ajoutées à $1/4$ de tasse d'huile d'amande douce

Géranium
**(*Pelargonium roseum*
ou *odorantissimum*,
du latin *geranium* et
du grec *geranos*, qui
veut dire « grue » à
cause de son fruit qui
rappelle le bec d'une
grue)**

Le géranium produit
une essence agréable
très utilisée en parfume-
rie et en cosmétique. Il
existe plusieurs variétés
de géranium, notam-
ment le géranium rosa,
qui ressemble beaucoup à la rose. Le géranium
représente la satisfaction des sens, l'harmonie
sexuelle et la joie de donner. Cette plante sauvage
très commune trouve son origine en Algérie, à Madagascar et en Nouvelle-Guinée. La saveur de l'huile
essentielle de géranium est douce et amère, et toute
la plante est utilisée pour l'obtenir. Autrefois, le
géranium était utilisé pour favoriser la méditation.

Action: L'huile essentielle de géranium harmonise la
rate et le pancréas. Elle repousse elle aussi la plupart des moustiques et a une odeur agréable, donc
vous pouvez vous en mettre sur tout le corps sans
danger. Elle est bonne pour le traitement de l'eczéma, de l'acné, des plaies, des coupures et des brûlures puisqu'elle possède une action cicatrisante.
C'est une huile anti-tabac. De plus, elle a la propriété d'être aphrodisiaque, car elle stimule les instincts
sexuels. Elle rééquilibre le niveau hormonal, est
tonique et soigne adéquatement les gastro-entérites.

Cette huile essentielle arrête les hémorragies de sang et est très bénéfique pour les soins la peau. Une autre propriété importante du géranium est qu'il favorise l'élimination des sucres et des amidons dans le sang. L'huile essentielle de géranium peut être utilisée au moment des tensions prémenstruelles puisque ses effets diurétiques aident à traverser cette période qui cause la rétention d'eau.

Quelques conseils

— Pour les plaies, les brûlures, les coupures et l'eczéma, appliquez un coton imbibé de quelques gouttes d'huile essentielle de géranium sur la région affectée et laissez en place pendant au moins une demi-heure.

— Pour réveiller les instincts sexuels, frictionnez tout le corps, principalement le dos, la nuque et un peu sur les cheveux, avec un mélange de 15 gouttes d'huile essentielle de géranium dans 30 mL d'huile d'amande douce. Vous stimulerez ainsi les désirs chez votre partenaire.

— Un lavement vaginal efficace se compose de cinq gouttes d'huile essentielle de lavande, deux gouttes de géranium et une cuillère à soupe d'huile d'olive incorporée à l'eau de la poire à lavement.

— Vous pouvez créer tout un éventail de mélanges pour votre diffuseur à partir de l'huile essentielle de géranium. L'atmosphère n'en sera que plus harmonieuse :
Diffusion parfumée : géranium et bois de rose.
Diffusion calmante : géranium, lavande et marjolaine.
Diffusion aseptique : géranium, eucalyptus et thym.

Diffusion tonifiante : géranium, romarin et sarriette.

— Fabriquez votre propre huile de bain aromatique en incorporant trois gouttes d'huile essentielle de géranium et trois gouttes d'huile essentielle de bois de rose à du lait en poudre ou de l'algue verte. Vous en retirerez un véritable plaisir pour les sens.

— Une huile de massage pour le corps composée de 100 mL d'huile d'amande douce et de 50 gouttes d'huile essentielle de géranium favorise l'évacuation des toxines et la rétention d'eau.

— Utilisée pour les soins de la peau, l'huile essentielle de géranium aide à équilibrer le sébum. Il est conseillé de prendre cette huile essentielle si vous avez la peau très sèche ou très grasse.

— Pour les peaux sèches ou normales, vous pouvez utiliser en fumigation (bain de vapeur pour le visage) cinq gouttes d'huile essentielle de géranium ou de lavande.

Recette

Dans la préparation de votre sorbet préféré, ajoutez cinq gouttes d'huile essentielle de géranium. Le sorbet au citron se marie admirablement bien avec cette essence. D'ailleurs, le sorbet au géranium est un mets de choix en Indonésie et en Nouvelle-Zélande.

Girofle (*Eugenia carophyllata*, du latin *caryophyllon*)

L'huile essentielle de girofle est obtenue par la distillation des boutons desséchés des fleurs du giroflier, appelés plus communément clous de girofle. Le giroflier est un arbre qui pousse dans les îles de l'océan Indien, à Madagascar et dans les Antilles. Le girofle est utilisé fréquemment dans nos plats culinaires.

Action: Cette huile essentielle est antiseptique, anesthésiante, tonifiante, aphrodisiaque, et agit contre les infections provoquées par les champignons (comme le *candida albigan* externe). Elle a la propriété d'être un bon stimulant mental et prévient les contagions, les ballonnements et les parasites.

Précautions: En application directe, l'huile essentielle de girofle peut causer une sensation de brûlure qui disparaît très rapidement. N'utilisez pas cette huile pendant la grossesse.

Quelques conseils

— L'huile essentielle de girofle est très bénéfique pour calmer les maux de dents et les infections dentaires. Pour les percées de dents, massez la gencive avec un peu d'huile essentielle. Vous pouvez également vous gargariser la bouche avec deux à trois gouttes d'huile essentielle de girofle dans de l'eau tiède. L'huile essentielle «gèle» les gencives, c'est pourquoi elle est très utile pour tous les maux de dents.

— Pour tous les cas de ballonnements, de gaz intestinaux, de parasites intestinaux ou de digestion difficile, déposez une goutte d'huile essentielle de girofle sur un morceau de sucre et mangez-le après les repas. Vous pouvez aussi vous frictionner le ventre avec de l'huile essentielle de girofle et d'un peu d'huile d'amande douce.

— Pour soulager le pied d'athlète, appliquez sur le pied un coton imbibé d'huile essentielle de girofle et laissez agir plusieurs heures. Il est également efficace de se faire un bain de pieds en ajoutant cinq gouttes d'huile essentielle dans un bol d'eau. Laissez tremper les pieds dans ce bain environ 10 minutes.

Lavande (*Lavandula vera*, de l'italien *lavanda* qui veut dire « qui sert à laver »)

Cette plante aromatique de la région méditerranéenne donne une fleur fine et bleue, et a un feuillage persistant. Cette huile essentielle est une des plus populaires chez nous, car elle possède de grandes qualités bénéfiques. Elle est obtenue par la distillation de la plante. Il existe plusieurs sortes de lavandes : dans la famille des « lavandes », on note la *lavande officinale* et *vera*; dans la famille des « hybrides », on note la *lavande aspic*; et dans celle des « lavandins », on retient le *lavandin abrialis*.

Action : La lavande est calmante, cicatrisante; elle combat les insomnies, l'anxiété et les migraines nerveuses. Antiseptique, elle traite les plaies, les brûlures, les piqûres d'insectes et les coupures de rasoir. Elle est bénéfique pour les soins de la peau, puisqu'elle agit efficacement contre l'acné et toutes les dermatoses. Elle protège les vêtements contre l'invasion des mites, réduit la toux persistante et a des qualités analgésiques.

Précautions : Exigez toujours une huile essentielle de lavande de haute qualité. Puisqu'elle est très en demande, on la falsifie très souvent.

Quelques conseils

— Imbibez quelques gouttes d'huile essentielle de lavande sur un coton et appliquez sur les plaies

de toute nature : brûlures, acné, éruptions cutanées. Laissez en place au moins 20 minutes
pour un soulagement total.

— Quelques gouttes d'huile essentielle de lavande
dans votre armoire ou vos tiroirs éloigneront les
mites indésirables.

— Pour les troubles de sommeil et l'anxiété, respirez les quelques gouttes que vous aurez déposées sur vos draps, votre oreiller ou votre mouchoir. Vous pouvez également vous frictionner le
plexus solaire avec quelques gouttes de cette
huile essentielle.

— L'anxiété mêlée d'angoisse sera rapidement cal-
mée si vous vous massez la poitrine, le dos et les
pieds avec un baume composé d'un peu d'huile
d'amande douce avec quelques gouttes d'huiles
essentielles de lavande et de marjolaine. Répétez
ce traitement relaxant chaque soir, au coucher.

— En diffusion dans l'atmosphère, la lavande est
une excellente base pour plusieurs compositions :

Pour la détente dans la journée et pour mieux
dormir : lavande, marjolaine, pin, bois de rose et
verveine.

Pour faciliter le sommeil chez les petits : lavande
et petit-grain.

Pour faciliter le sommeil chez les petits et
grands : lavande, marjolaine, néroli et petit-
grain.

Lorsque vous souffrez de sinusite, massez le
contour des yeux en étirant le mouvement vers
les tempes avec un mélange de lavande et de

camomille (deux gouttes chacune), et ce, trois fois par jour.

— Pour les migraines, frictionnez les tempes, le front, la nuque et la colonne vertébrale avec 15 gouttes d'huile essentielle de lavande et 3 gouttes d'huile essentielle de menthe. Faites ce massage deux à trois fois par jour.

— Pensez à ajouter l'huile essentielle de lavande dans l'eau de rinçage de votre lessive ou dans votre cire à meuble. Une odeur agréable se dégagera de vos vêtements et dans la maison.

— Pour les contractions relatives à l'accouchement, la lavande aidera grandement à réduire la douleur et renforcera les contractions. Appliquez l'huile essentielle de lavande en massage dans le bas du dos. Elle peut également être utilisée en compresse ou en massage sur l'abdomen pour faciliter l'expulsion du placenta après la naissance.

— Les coliques et l'irritabilité de bébé seront atténuées avec l'huile essentielle de lavande. Quelques gouttes de lavande dans le bain du bébé va l'aider à bien dormir. Attention: n'utilisez qu'à petites doses seulement.

— L'huile essentielle de lavande aide aussi à combattre la toux. Déposez quelques gouttes de lavande sur la gorge et massez doucement. Son action sédative aidera à calmer les quintes de toux.

— La lavande est aussi bénéfique pour apaiser les douleurs musculaires. Appliquez en massage sur les endroits douloureux: 10 gouttes d'huile essentielle de lavande, 10 gouttes de marjolaine et 5 gouttes de bergamote dans 50 mL ou un quart de tasse d'huile d'amande douce.

— L'huile essentielle de lavande aide à calmer toute douleur. Ainsi, elle est efficace dans un bain, entre autres pour les maux de dos persistants (s'ils sont musculaires seulement). Ces maux seront soulagés avec le même mélange de lavande, de marjolaine et de bergamote versé dans le bain (voir ci-dessus).

Mandarine (*Citrus nobilis*, de l'espagnol *mandarina* qui veut dire « orange des mandarins »)

L'huile essentielle de mandarine est obtenue par la distillation de l'écorce du fruit du mandarinier. Cet arbre est originaire de la Chine.

Action: La mandarine est une huile relaxante qui aide à la digestion. Elle renforce le tonus du cœur et régénère la peau. C'est une huile très douce qui est inoffensive pour les enfants. Elle est souvent utilisée pour calmer les problèmes intestinaux et le hoquet. Elle peut très bien être utilisée sur les peaux sensibles, pour les personnes âgées et les femmes enceintes.

Précautions: Tout comme la lavande, l'huile essentielle de mandarine est très douce. Vous pouvez l'utiliser pour aider les bébés à bien dormir. Cependant, servez-vous de cette huile sur la peau fragile de bébé à faible dose seulement.

Quelques conseils

— Pour la nervosité, les spasmes et les palpitations, prenez une goutte d'huile essentielle de mandarine et frictionnez le plexus solaire.

— Les victimes d'insomnie retrouveront le sommeil en buvant dans la soirée une infusion de tilleul dans laquelle ils auront versé trois à cinq gouttes d'huile essentielle de mandarine.

— Pour conserver ou encore retrouver toute la jeunesse de votre visage, appliquez après le nettoyage une goutte d'huile essentielle de mandarine diluée dans un peu d'huile d'amande douce, ou mieux dans de l'huile de calendula. Vous pouvez également mettre les gouttes dans un peu de crème neutre.

— Afin d'arrêter le hoquet chez l'enfant ou l'adulte, massez, dans le sens des aiguilles d'une montre, le ventre avec deux gouttes d'huile essentielle de mandarine diluées dans un peu d'huile d'amande douce.

Marjolaine
(*Origanum marjorana*)

Cette plante aromatique de la famille des labiées (comme la sauge, la menthe, la lavande, le thym et le romarin) pousse principalement en Europe centrale et sur toute la côte méditerranéenne. On retrouve la marjolaine également en Hongrie et en Yougoslavie. On obtient l'huile essentielle de marjolaire par la distillation des tiges fleuries de la plante. Il ne faut pas confondre la marjolaine avec l'huile essentielle d'origan, car cette dernière est tonique.

Action : Cette huile essentielle a la propriété d'être relaxante, est antirhumatismale, aide à combattre la toux et est antiseptique. En plus de favoriser le sommeil, elle réduit l'anxiété. Contrairement à plusieurs autres huiles essentielles nommées précédemment, celle-ci est anti-aphrodisiaque. D'ailleurs, autrefois, elle fut utilisée avec succès auprès des religieux. La marjolaine est utilisée fréquemment en cuisine pour faciliter la digestion. Elle réduit les crampes intestinales et aide à renforcer le tube digestif. On utilise cette huile essentielle également pour réconforter les gens vivant dans la solitude et la tristesse.

Précautions : L'huile essentielle de marjolaine est régulatrice lorsqu'elle est utilisée à faible dose. Si l'on en abuse, elle devient stupéfiante et peut même provoquer des crises d'épilepsie.

Quelques conseils

— Si vous souffrez d'insomnie ou d'angoisse, l'huile essentielle de marjolaine vous sera d'une aide précieuse. Il suffit de vous frictionner la nuque, la colonne vertébrale et le plexus solaire avec quelques gouttes de cette huile pour remédier à ces états désagréables.

— Comme bain de détente, la marjolaine est un des ingrédients de choix. Vous n'avez qu'à inclure cinq gouttes d'huile essentielle de marjolaine et cinq gouttes d'huile essentielle de lavande dans deux cuillères à soupe de poudre de lait ou d'algue verte. En plus de vous relaxer, ce mélange sera un véritable plaisir olfactif.

— Pour atténuer les crampes menstruelles, faites-vous un massage sur le bas de l'abdomen avec cinq gouttes d'huile essentielle de marjolaine diluées dans un peu d'huile d'amande douce. Le même nombre de gouttes diluées dans un peu d'eau tiède sera aussi bénéfique en compresse.

— Saviez-vous qu'une goutte d'huile essentielle de marjolaine mélangée à une goutte d'essence de basilic enlève les idées fixes lorsqu'on en prend trois fois par jour?

— Lorsque vous avez des douleurs rhumatismales, frictionnez les régions douloureuses avec un peu d'huile essentielle de marjolaine pure.

— Une bonne huile de massage propice à la détente se compose de trois gouttes de chacune de ces huiles: marjolaine, lavande, bois de rose, petit-grain et citron; le tout est dilué dans un quart de tasse d'huile d'amande douce. Vous en retirerez un grand bienfait.

— Si vous possédez un diffuseur d'huiles essentielles, vous pouvez vous préparer quelques mélanges « détente-sommeil ». Ces mélanges sont faciles à préparer et vous apprécierez grandement ces délicieux mariages :

Marjolaine, lavande, pin, bois de rose et verveine; ou

Marjolaine, lavande, petit-grain et néroli; ou

Marjolaine, lavande, pin, verveine, bois de rose et menthe.

Menthe (*Mentha pipertita*, du grec *minthê*)

Cette plante odorante pousse surtout dans les lieux humides et donne de belles fleurs roses ou blanches lorsqu'elle atteint sa maturité. L'essence de cette plante est utilisée surtout pour son arôme et ses propriétés médicinales. On la retrouve le plus fréquemment dans le midi de la France, mais sa ré-

colte s'étend également en Espagne, au Maroc, en Angleterre, en Italie et en Amérique. L'obtention de l'huile essentielle de menthe se fait par la distillation de sa fleur et de ses feuilles. Sa saveur piquante et rafraîchissante fait partie de nos habitudes alimentaires depuis de nombreux siècles.

Action: Cette huile essentielle est un bon tonique nerveux, facilite également la digestion, éloigne les parasites et constitue un antiseptique général. En plus d'être antispasmodique, c'est un puissant expectorant. Elle éloigne les parasites et combat efficacement la mauvaise haleine. On décrit cette huile essentielle comme étant «céphalique», c'est-à-dire qu'elle aide à clarifier le psychique, tout comme le romarin et le basilic.

Précautions: Il est déconseillé de prendre cette huile essentielle le soir, puisqu'elle pourrait gêner votre sommeil. Ne frictionnez pas cette huile essentielle sur le corps en entier, car elle pourrait créer un refroidissement rapide, allant même jusqu'à l'hypothermie. La menthe est déconseillée également aux personnes qui suivent un traitement homéopathique ou qui prennent des oligo-éléments.

Quelques conseils

— Pour ceux qui ont du mal à se réveiller, l'application de quelques gouttes d'huile essentielle de menthe sur le front réglera rapidement ce problème.

— Afin de soulager les maux de tête et les états fiévreux, il suffit de diluer quelques gouttes de menthe dans un peu d'eau et d'appliquer en compresse sur le front environ 10 minutes.

— L'odeur de la menthe fera fuir les souris et les rats, les coquerelles, les fourmis et toutes les vermines de ce genre. Quelques gouttes d'huile essentielle de menthe appliquées aux endroits stratégiques serviront à les éloigner. De plus, ce poison naturel est tout à fait inoffensif pour les enfants.

— Quelques gouttes d'huile essentielle de menthe frictionnées directement sur une entorse ou une inflammation musculaire seront plus efficaces que de la glace! Vous augmenterez les effets si vous enveloppez l'endroit douloureux avec de l'argile verte.

— Les maux de gorge, les débuts de grippe, les coups de froid ou les sinusites seront vite guéris si vous vous massez le cou et les sinus avec quelques gouttes de cette huile. Une goutte sur la langue soulage rapidement le mal de gorge.

— Votre digestion sera facilitée si vous prenez un morceau de sucre sur lequel vous aurez déposé quelques gouttes d'huile essentielle de menthe. À prendre après le repas.

Niaouli (*Melaleuca viridiflora*)

L'huile essentielle de niaouli est obtenue par la distillation des feuilles fraîches ou de jeunes rameaux de l'arbre. Le niaouli pousse en Nouvelle-Calédonie et on le retrouve parfois en Australie.

Action: Le niaouli est un antiseptique puissant aux niveaux pulmonaire, intestinal et urinaire. Il est très utilisé en France pour stériliser les instruments obstétriques et gynécologiques. Il est très important de faire la différence entre le cajeput et le niaouli, puisque le cajeput est très irritant pour la peau, à la différence du niaouli. C'est donc une huile idéale pour le traitement de l'acné et les problèmes de peau. L'huile essentielle de niaouli est également très efficace pour nettoyer les plaies à l'aide d'un coton ou d'une gaze.

Quelques conseils

— Pour les infections des voies respiratoires, frictionnez le cou et la poitrine avec 15 gouttes d'huile essentielle de niaouli diluées dans un quart de tasse d'huile d'amande douce.

— L'huile essentielle de niaouli traite efficacement la bronchite chronique lorsqu'elle est mélangée au pin et à l'eucalyptus. Il suffit de prendre 20 gouttes de chacune de ces huiles et de les mélanger à 100 mL d'huile d'amande douce. Frictionnez sur la poitrine deux fois par jour.

Orange (*Citrus aurantinum*, de l'arabe *narandj*, aussi appelée petit-grain et néroli)

L'oranger est un arbre à feuilles persistantes, cultivé dans les régions chaudes comme le sud de l'Italie, l'Algérie, le Mexique, la Californie et l'Amérique du Sud. L'huile essentielle d'orange est obtenue par l'extraction mécanique du liquide provenant du zeste frais de l'orange. Le petit-grain est le fruit du bigaradier, tombé prématurément de l'arbre peu après la fécondation. L'huile essentielle de petit-grain est préparée avec les tout jeunes fruits et obtenue par distillation des feuilles de l'oranger amer. On appelle néroli les fleurs de l'oranger. L'essence de néroli est surtout employée en parfumerie. D'ailleurs, ce nom provient d'une princesse italienne qui aurait inventé ce parfum. On l'utilise également pour la préparation de l'eau de cologne et de quelques liqueurs digestives. Cette huile essentielle est toutefois beaucoup plus onéreuse que les deux premières. En effet, il faut au moins une tonne de fleurs d'oranger pour obtenir un kilogramme d'huile essentielle de néroli.

Action: L'utilisation de cette huile essentielle est recommandée pour remédier à l'insomnie. Elle est calmante et s'avère un bon tonique cardiaque. Elle tue également les bactéries.

Quelques conseils

— L'huile essentielle d'orange a la propriété d'être sédative, ce qui veut dire qu'elle agit contre la douleur, l'anxiété et l'insomnie. Une lotion composée de 25 gouttes pour un adulte ou de 10 gouttes pour un enfant diluées dans un quart de tasse d'huile d'amande douce sera très bénéfique en friction.

— Pour calmer les maux de ventre ou les coliques chez les nourrissons, vous pouvez appliquer en massage doux un mélange de deux gouttes d'huile essentielle d'orange dans une cuillère à soupe d'huile d'amande douce.

— Cinq gouttes d'huile essentielle d'orange versées dans une crème neutre ou un peu d'huile de germe de blé s'avéreront un bon traitement pour les soins du visage. Vous pouvez l'utiliser également comme rajeunissant tissulaire et pour toute dermatose. En plus de retirer une sensation de douceur dès l'application, vous profiterez de la bonne odeur d'agrume qui s'en dégagera.

— Un bon bain sédatif se composera de cinq gouttes d'huile essentielle d'orange, deux gouttes d'huile essentielle de petit-grain et de cinq gouttes de marjolaine ou de basilic, le tout dilué dans une demi-tasse de lait en poudre ou d'algue verte.

— Composition pour diffuseur :

Lavande, petit-grain et pin ; ou
Lavande, petit-grain, néroli et marjolaine ; ou
Orange et mandarine.

Origan (*Origanum vulgare*, du grec *origanon*)

Cette plante comprend 30 espèces européennes et se retrouve également dans les parties voisines des autres continents. Bien qu'il pousse surtout dans les régions méridionales, on retrouve également l'origan en Afrique du Nord. En France, l'origan vulgaire à fleurs roses se trouve dans les lieux secs, surtout calcaires. La marjolaine, qui est une espèce d'origan, est cultivée dans plusieurs endroits dans le monde. On obtient l'huile essentielle d'origan par la distillation des sommités fleuries de la plante.

Action: L'origan est antiseptique lorsqu'il est employé pour usage externe ; il désinfecte les plaies et les boutons d'acné. On l'utilise beaucoup comme tonique et il enraye la toux très rapidement. De plus, l'huile essentielle d'origan est cicatrisante. L'origan se retrouve au premier plan de l'efficacité en aromathérapie. Il tue en quelques heures les maladies infectieuses telles que la staphylocoque dorée, la scarlatine, l'impédigo, la pneumonie et les infections intestinales.

Précautions: L'huile essentielle d'origan est une des meilleures pour ses qualités antiseptiques. Son application pure sur la peau peut causer une sensation de brûlure qui disparaît très vite. Il est conseillé de l'utiliser avec précaution et à faible dose. Cette essence est à éviter pendant la grossesse, sauf en diffusion.

Quelques conseils

— Pour traiter la grippe, la bronchite et le rhume, frictionnez votre poitrine avec un mélange de une cuillère à soupe d'huile d'amande douce et trois gouttes d'huile essentielle d'origan.

— En diffusion, l'huile essentielle d'origan sera efficace contre l'infection. Pour cela, vous pouvez faire un mélange d'origan, de lavande, d'eucalyptus et de verveine.

Pin (*Pinus sylvestris*, du latin *pinus*)

Les pins sont des arbres qui peuvent atteindre jusqu'à 50 mètres de hauteur. On connaît près de 80 essences de pins, qui se retrouvent dans les régions tempérées de l'Europe et les régions froides de l'hémisphère boréal, comme en Scandinavie et en Russie. L'huile essentielle de pin s'obtient par la distillation des aiguilles, des bourgeons et du bois.

Action: Le pin est un antiseptique pour les voies respiratoires; il est excellent pour enrayer les débuts de grippes; il lutte contre les infections urinaires, en plus de stimuler les corticosurrénales (ce sont les petites glandes situées au-dessus des reins qui contrôlent l'adrénaline).

Précautions: Utilisez les différentes huiles essentielles de pin avec vigilance. Sachez que le pin sylvestre agit au niveau des poumons et des reins, tandis que le pin de Sibérie est efficace surtout pour les infections vaginales. Méfiez-vous également des huiles essentielles falsifiées avec de la térébenthine.

Quelques conseils

— Afin de combattre tout début de grippe, il suffit de déposer une goutte d'huile essentielle de pin sur la langue toutes les trois heures. Vous pouvez rendre ce traitement encore plus efficace en vous frictionnant le cou et la poitrine avec quelques gouttes.

— Pour remédier aux infections urinaires et aux inflammations de la vessie, ajoutez deux à trois gouttes d'essence de pin dans du miel ou sur un morceau de sucre. Consommez ce remède naturel trois fois par jour. Vous pouvez aussi vous frictionner le bas du ventre et du dos avec quelques gouttes d'huile essentielle de pin.

— Lorsque les corticosurrénales sont affaiblies, diffusez l'huile essentielle de pin dans votre atmosphère, car elle stimule le système immunitaire. Cette diffusion est également efficace contre la grippe.

Romarin
(*Rosmarius officinalis*, du latin *rosmarinus* qui veut dire «rosée de la mer»)

Le romarin est un arbuste aromatique à feuilles étroites et à fleurs bleues. Le romarin officinal abonde sur les côtes méditerranéennes. On le retrouve surtout en Italie, en Espagne et en Tunisie. On emploie ses jeunes pousses comme condiment et ses fleurs donnent une infusion stimulante. On retire du romarin une essence estimée, par la distillation de ses tiges et de ses fleurs. Cette essence est abondamment utilisée en parfumerie, surtout pour la préparation de l'eau de cologne. Le romarin était déjà bien connu des Anciens. On l'utilisait pour conserver la viande et redonner la mémoire aux amnésiques par simple inhalation de l'essence.

Action: En plus d'être tonique et stimulante, l'huile essentielle de romarin s'active au niveau du foie et de la vésicule biliaire. Elle prévient les rhumatismes et l'arthrite, et son action est efficace sur la peau et le cuir chevelu. Cette huile qui stimule la tension artérielle est également aphrodisiaque. L'huile essentielle de romarin est excellente pour redonner de l'énergie aux enfants fatigués, et elle est très bénéfique pendant la convalescence. En effet, elle aide à récupérer des suites d'une maladie.

Précautions: N'utilisez l'huile essentielle de romarin qu'à petites doses seulement. Elle est à éviter pendant la grossesse.

Quelques conseils

— Si votre foie ou votre vésicule biliaire sont affaiblis, prenez une goutte d'huile essentielle de romarin dans un demi-verre d'eau chaude, trois fois par jour. Vous pouvez renforcer ce traitement en frictionnant la région du foie ou de la vésicule avec quelques gouttes de romarin, le matin de préférence.

— Pour redonner du tonus à la peau fatiguée, voici un secret de beauté qui sera bénéfique pour les peaux de tous âges: versez six gouttes d'huile essentielle de romarin dans un demi-verre de lait et aspergez-vous le visage de cette lotion en la diluant avec l'eau du robinet. Cette manière de procéder favorisera un mélange homogène de tous les liquides.

— Pour apaiser les douleurs en tout genre, appliquez en friction un mélange composé de 15 gouttes d'huile essentielle de romarin, de 15 gouttes de lavande et d'une demi-tasse d'huile d'amande douce. Ce massage pourra être répété deux à trois fois afin de soulager totalement la douleur.

— Spécialement pour les sportifs, une lotion tonique à appliquer en friction: ajoutez à un quart de tasse d'huile d'amande douce un mélange de cinq gouttes d'essence de romarin, cinq gouttes de pin et cinq gouttes de géranium. Vous l'apprécierez surtout le matin, avant et après l'effort physique.

— Une riche composition anti-rides contiendra cinq gouttes d'huile essentielle de romarin et cinq gouttes d'huile essentielle de rose ajoutées à de l'huile de millepertuis et de l'huile de rose musquée. Cet elixir devra être appliqué deux fois par jour, le matin et le soir, pour un traitement royal et équilibré.

— Après un effort physique, pourquoi ne pas prendre un bain régénérateur? Vous n'avez qu'à ajouter huit gouttes d'huile essentielle de romarin, cinq gouttes d'huile essentielle de pin et cinq gouttes d'huile essentielle de lavande à une demi-tasse de poudre de lait ou d'algue verte. Ce bain sera bénéfique pour refaire le plein d'énergie.

— Un masque anti-rides vite fait et très efficace devrait faire partie de vos soins de beauté quotidiens. Vous n'avez qu'à ajouter trois gouttes d'huile essentielle de romarin et trois gouttes d'essence de rose dans deux cuillères à soupe de miel non chauffé. Après l'avoir gardé environ cinq minutes sur le visage, rincez-le à l'eau tiède, puis à l'eau froide. Votre peau vous le rendra bien!

— Offrez à vos cheveux un traitement capillaire de choix avec le mélange suivant :

1 jaune d'œuf
1 c. à café d'huile de germe de blé
1 c. à café d'huile d'olive
le jus d'un demi citron
3 gouttes d'huile essentielle de romarin
3 gouttes d'huile essentielle de lavande

Massez votre cuir chevelu avec une partie du mélange et placez une serviette d'eau chaude sur votre tête. Laissez agir ce mélange pendant au moins 15 minutes. Au rinçage, vous pouvez utiliser le reste de ce traitement avec votre shampoing habituel. Finissez le tout en aspergeant un peu de jus de citron sur votre chevelure et rincez-la de nouveau. Ce traitement vous donnera des cheveux doux, soyeux et revitalisés.

Santal (*Santalum album*, du grec *santalon*)

Le santal est un arbre de taille peu élevée, à fleurs et à fruits, qui pousse en grappes. Cet arbre provient des îles chaudes de l'océan Indien. Bombay exporte la presque totalité du santal utilisé en Europe. Le bois de santal est très recherché ; c'est d'ailleurs de ce dernier que provient l'huile essentielle. Il est dur, jaunâtre et possède une odeur très agréable. Le santal de Mysore est beaucoup plus riche. Lorsqu'elle est pure, l'essence de santal est utilisée en médecine. Elle sert également en parfumerie, dans l'industrie des savons, par exemple. En Chine, on brûle le santal dans les temples, tandis qu'ici, on l'utilise sous forme d'encens. L'huile essentielle de santal était utilisée autrefois pour embaumer les corps, et ce rituel permettait à l'âme d'accéder à une autre vie. De nos jours, l'essence de santal possède la qualité d'agir sur le «moi» profond. Cette petite plante est d'ailleurs dédiée à Vénus.

Action : L'huile essentielle de santal est astringeante et est un puissant antiseptique des voies génico-urinaires. On peut l'utiliser à profit pour tous les soins de la peau. Elle traite efficacement les cystites (inflammations de la vessie). Le santal est également réputé pour son pouvoir aphrodisiaque.

Précautions : Afin d'obtenir le maximum d'effets thérapeutiques, n'utilisez que la véritable essence de santal de Mysore. Celle-ci est disponible à prix plus élevé, mais elle possède de plus grandes qualités, à la différence de l'huile essentielle de santal en provenance de l'Australie qui, elle, est surtout utilisée en parfumerie.

Quelques conseils

— Vous pouvez retirer les bienfaits d'un bain oriental en ajoutant huit gouttes d'huile essentielle de santal à un peu de poudre de lait. Ce bain relaxant vous donnera presque l'impression de faire un voyage au pays du Soleil-Levant !

— Pour les personnes souffrant d'une inflammation de la vessie, une goutte d'huile essentielle de santal sur la langue aux trois heures, pendant trois jours, constituera un traitement bienfaisant. L'effet en sera renforcé si vous vous frictionnez le bas du ventre et du dos avec quelques gouttes de la même essence. Un bain de siège sera également calmant pour ce type d'inflammation si vous y versez quelques gouttes d'huile essentielle de santal.

— Pour les soins de la peau, utilisez l'huile essentielle de santal aussi souvent que vous le désirez, surtout si vous avez la peau sèche ou déshydratée. Pour en retirer tous les bienfaits, versez cinq gouttes d'essence de santal dans de l'eau bouillante et utilisez sous forme de compresse ou en fumigation.

Sassafras (*Sassafras officinalis*, mot amérindien provenant de l'espagnol *sasafras*)

L'unique espèce, le sassafras officinal, pousse au Canada et en Floride. L'huile essentielle est obtenue par la distillation de ses feuilles, de ses racines et de son écorce. Son bois, qui est léger et d'un beau jaune, est utilisé fréquemment en ébénisterie. Aussi appelé le laurier des Iroquois, le sassafras est un arbre qui a la forme du pin et qui peut atteindre une hauteur variant de 8 à 15 mètres. Ses racines distillées sont très utilisées en parfumerie, tandis que les feuilles séchées constituent des herbes fines en cuisine.

Action: Le sassafras a des qualités diurétiques, dépuratives et sudorifiques. On le considère comme un «anti-tabac», puisqu'il aide à éliminer la dépendance. Très bénéfique dans le traitement des peaux acnéiques, l'huile essentielle de sassafras s'avère un excellent antidote pour les piqûres d'insectes.

Précautions: L'huile essentielle de sassafras étant diurétique, il est préférable de ne pas l'utiliser le soir puisqu'elle pourrait vous réveiller la nuit avec une envie d'uriner. La femme enceinte doit également éviter de prendre cette huile essentielle en usage interne, car le sassafras excite l'utérus et pourrait provoquer un accouchement.

Quelques conseils

— Plusieurs traitements draconiens s'offrent à ceux qui veulent cesser de fumer. Celui qui est proposé ici n'a pas la prétention de vous faire arrêter de fumer, mais il sera sûrement efficace pour diminuer la dépendance:

1 goutte d'huile essentielle de sassafras
1 goutte de sauge
1 goutte de géranium
1 goutte de lavande
1 goutte de marjolaine

Mélangez le tout dans un verre d'eau chaude dans lequel vous aurez ajouté du miel. Ce même mélange pourra également être utilisé en friction sur le plexus solaire, la nuque, la colonne vertébrale et la plante des pieds. Ce massage des points stratégiques donnera encore plus de résultats. Une diffusion dans l'atmosphère d'un mariage d'huiles essentielles de verveine, géranium, pin, cèdre et menthe, diluées à parts égales, pourra également être très efficace. À respirer toute la nuit ou au moins trois heures par jour.

— Pour dégager les pores de la peau, un bain de vapeur facial sera très bénéfique. Ajoutez à de l'eau bouillante une goutte de sassafras, une goutte de genièvre et une goutte de citron, et laissez votre visage au-dessus de la vapeur quelques minutes. Ce traitement n'est nécessaire qu'une fois par jour.

— L'huile essentielle de sassafras possède des propriétés adoucissantes et rafraîchissantes. Un masque pour les peaux acnéiques donne en huit minutes une peau nettoyée et plus souple. Déposez trois gouttes d'essence de sassafras et trois gouttes de lavande dans deux cuillères à soupe de miel non chauffé, et appliquez ce masque en évitant le tour des yeux et de la bouche. Gardez-le de cinq à huit minutes et rincez à l'eau tiède.

— Pour ceux qui souffrent de douleurs rhumatismales, massez la ou les régions douloureuses avec quelques gouttes d'huile essentielle de sassafras pure.

— Afin de diminuer la rétention d'eau, déposez une goutte d'huile essentielle de sassafras sur un morceau de sucre ou dans du miel aux trois heures. Vous pouvez aussi masser les régions atteintes avec quelques gouttes de cette essence préalablement diluées dans un peu d'huile d'amande douce.

— Pour soulager les piqûres d'insectes, un tampon de coton imbibé d'un peu d'huile essentielle de sassafras appliqué directement sur la piqûre constituera un antidote certain. Laissez-le en place sur l'endroit touché au moins une demi-heure.

Sauge (*Salvaia officinalis*, du latin *salvia* qui veut dire « sauf »)

Cette plante herbacée possède des fleurs de tailles et de couleurs très variées. On retrouve plus de 500 sortes de sauge; certaines espèces poussent spontanément dans le midi de la France, tandis que d'autres sont cultivées dans plusieurs régions d'Europe et d'Amérique. On apprécie la sauge en condiment; un certain nombre d'espèces sont ornementales. La sauge officinale a des fleurs violettes, bleues ou blanches. Citons quelques sortes de sauge aux noms souvent inspirants: la sauge verticillée, à fleurs plus nombreuses; la sauge sclarée, très connue; la sauge glutineuse; la sauge éclatante du Brésil; la sauge des prés ou encore la sauge fausse-verveine. La sauge du Bengale est très aromatique et se prend à la manière du thé. L'huile essentielle de sauge est obtenue par la distillation des sommités fleuries et des feuilles.

Action: L'huile essentielle de sauge est stimulante de par son essence et on l'utilise pour soulager les malaises causés par les bouffées de chaleur. En plus d'être un puissant remède relaxant musculaire, elle régularise le cycle menstruel, arrête les montées de lait chez les jeunes mères et abaisse aussi la tension artérielle. La sauge est reconnue également pour calmer les spasmes (antispasmodique). Ayant la qualité d'être tonique, cette essence est idéale pour le soin des cheveux.

Précautions : Il est très important de ne pas boire d'alcool avec toute huile essentielle de sauge (sclarée ou officinale). Des études ont prouvé que ce mélange provoque des cauchemars et augmente les effets de l'alcool en donnant une « gueule de bois » le lendemain. Utilisée à forte dose, la sauge peut être toxique et elle est à déconseiller pour les femmes enceintes, car elle peut provoquer un avortement. Les femmes qui allaitent ne devraient pas prendre cette huile essentielle parce qu'elle arrête la lactation. Finalement, les personnes dont le rythme cardiaque est ralenti devraient éviter d'en prendre.

Quelques conseils

— Pour celles qui souffrent de crampes menstruelles douloureuses, massez le ventre avec un baume composé de 10 gouttes d'huile essentielle de sauge sclarée diluées dans un quart de tasse d'huile d'amande douce. Ce mélange est tout aussi efficace pour les crampes abdominales. La douleur causée par les menstruations sera également atténuée si vous déposez une goutte d'huile essentielle de sauge pure dans le nombril. Ce petit traitement anodin en apparence favorisera aussi la régularisation du cycle menstruel, et les femmes ménopausées devraient l'utiliser régulièrement. L'action de la sauge ressemble à celle que produit l'œstrogène, qui vise à régulariser le cycle naturel de notre corps.

— La transpiration excessive sera atténuée en déposant une goutte d'essence de sauge sur un morceau de sucre ou dans du miel. Un massage des pieds avec cette huile essentielle donne également de très bons résultats.

— Si vous avez les jambes lourdes, prenez un bain thérapeutique composé de cinq gouttes d'huile essentielle de sauge, cinq gouttes d'essence de cyprès et cinq gouttes de lavande diluées dans une demi-tasse d'algue verte ou de lait en poudre.

— Voici une lotion tonique avec laquelle on peut s'asperger le visage après les soins : deux gouttes d'huile essentielle de sauge, deux gouttes d'huile essentielle de genièvre et deux gouttes d'huile essentielle de lavande. Ce traitement douceur alliera fraîcheur et efficacité. Votre peau restera nette, souple et hydratée.

Thym (*Thymus vulgaris*)

Cette plante délicate produit des fleurs blanches ou roses, et atteint en moyenne 25 centimètres de haut. Elle est très répandue dans les régions montagneuses, sèches et rocailleuses de l'Europe méridionale. Une des variétés du thym commun, le thym serpolet ou bâtard, croît sur les pelouses ou sur le bord des chemins. Nous apprécions ici sa culture facile dans nos jardins et pour son utilisation en cuisine comme condiment. Il existe plusieurs espèces de thym, mais le plus populaire en aromathérapie est le *thymus vulgaris*. On en retire son huile essentielle par la distillation des sommités fleuries.

Action: Employé comme condiment, le thym a la propriété d'être antispasmodique. Son huile essentielle riche en thymol possède des qualités diurétiques et antiseptiques, surtout aux niveaux intestinal, pulmonaire et génito-urinaire. On l'utilise pour traiter les infections gastriques. L'huile essentielle de thym constitue un baume anti-douleur et est stimulante tant sur le plan physique que psychologique. C'est aussi un très bon tonique capillaire.

Précautions: L'huile essentielle de thym fait partie de la famille des «huiles fortes». Il conviendra de l'utiliser de façon modérée, car elle produit une sensation de brûlure si elle est appliquée directement sur la peau. Puisqu'il existe plus de 500 sortes de thym, il est très important de choisir l'huile essentielle qui convient le mieux à l'aromathérapie.

Quelques conseils

— Afin de soulager les coups de froid, les maux de gorge ou encore les débuts de grippe, il convient de boire un mélange naturel composé d'une goutte d'huile essentielle de thym ajoutée à une cuillère à café de miel dans un verre d'eau chaude, et ce, trois fois par jour. Frictionnez-vous également la gorge et la poitrine avec une goutte d'huile essentielle de thym diluée dans un peu d'huile d'amande douce. Si votre mal de gorge s'accompagne de toux, faites une inhalation à l'huile essentielle de thym 5 à 10 minutes.

— La diarrhée et la gastrite seront calmées si vous prenez un demi-verre d'eau tiède dans lequel vous y aurez versé une goutte d'essence de thym et une cuillère à café de miel. Buvez ce liquide toutes les deux heures et massez-vous le ventre deux fois par jour avec une goutte d'huile essentielle de thym pure.

— En cas d'infection des gencives, l'huile essentielle de thym est très efficace si l'on se gargarise. Il suffit d'en verser quelques gouttes dans un verre d'eau.

— Servez-vous de l'huile essentielle de thym comme désinfectant. Elle peut être utilisée pour soulager les plaies infectées et s'avère tout aussi efficace que les autres produits sur le marché lorsqu'elle est diluée avec du savon.

Verveine (*Cymbopogan citratus*, du latin *verbena*)

La verveine est une herbe connue surtout pour ses infusions agréables et dont on extrait un agréable parfum. Il y a plus de 80 espèces de verveine; l'unique espèce en Europe est la verveine officinale, à fleurs bleues, parfois violettes. Les verveines sont recherchées en horticulture, et on en cultive de nombreuses variétés dans les jardins. On emploie la verveine en parfumerie et dans la fabrication des liqueurs. La verveine des Indes, également appelée *lemon grass* et herbe au citron, est une grande herbe vivace qui pousse en Amérique centrale et aux Indes. C'est de cette dernière variété qu'on retire l'huile essentielle, obtenue par la distillation de toute la plante.

Action: La verveine est reconnue comme étant une herbe relaxante et digestive; son huile essentielle est un bon antiseptique. Efficace contre la sinusite, on l'utilise pour guérir les blessures en tout genre. Elle a aussi l'avantage d'éloigner les insectes, tout en diffusant une odeur très agréable. On l'appelle aussi l'huile essentielle du bonheur, donc il est recommandé de la diffuser dans l'atmosphère. L'odeur de la verveine est une des plus appréciées dans tout l'éventail des huiles essentielles aromatiques.

Quelques conseils

— Pour soigner la sinusite et les débuts de grippe, frictionnez les sinus et le cou avec quelques gouttes d'huile essentielle de verveine.

— Si vous êtes sujet aux tensions, à la fatigue ou au stress, faites-vous un massage sur le plexus solaire avec quelques gouttes de cette huile. Vous pouvez également prendre un demi-verre d'eau chaude dans lequel vous aurez versé une goutte d'huile essentielle de verveine et une cuillère à café de miel, ou encore un morceau de sucre. La diffusion dans l'air de cette essence est très bénéfique.

— Quelques gouttes d'huile essentielle de verveine appliquées le matin, après la douche, sur le plexus solaire, la nuque, le dos et la plante des pieds constitueront un excellent tonique matinal.

— Le soir, si vous avez les pieds fatigués et enflés, prenez un bain de pieds dans lequel vous aurez préalablement versé quelques gouttes d'huile essentielle de verveine. Vos pieds en seront agréablement rafraîchis.

— Pour en finir avec l'invasion des fourmis et des araignées dans votre demeure, quelques gouttes d'huile essentielle de verveine peuvent être versées dans votre eau de nettoyage pour les murs et les planchers.

— Si votre animal domestique a des puces, donnez-lui un bain dans lequel vous aurez préalablement versé quelques gouttes d'huiles essentielles de verveine et de lavande. En vous servant d'une éponge, aspergez-le plusieurs fois et laissez agir les huiles essentielles plusieurs minutes. Votre animal vous en sera reconnaissant et les puces seront chose du passé!

— En diffusion dans l'atmosphère, l'huile essentielle de verveine est très appréciée. Vous pouvez composer différents mélanges avec d'autres huiles essentielles selon l'ambiance que vous désirez donner à votre demeure:

Diffusion «agréable»: verveine et *lemon grass*.

Diffusion «bonne humeur»: verveine et bois de rose.

Diffusion «anti-tabac»: verveine et géranium.

Ylang-ylang ou ilang-ilang (*Cananga odorata*)

Cet arbre originaire des Philippines est aussi cultivé en Indonésie, en Birmanie et à Madagascar. Il fournit une essence très suave, utilisée en parfumerie. L'huile essentielle s'obtient par la distillation des fleurs de l'arbre.

Action: Le ylang-ylang est un tonique très efficace. Il a également la qualité d'être un puissant stimulant sexuel et s'utilise à profit dans le traitement de la peau et des cheveux. L'huile essentielle de ylang-ylang est bienfaisante pour les gens qui souffrent d'anxiété.

Précautions: N'utilisez pas l'huile essentielle de ylang-ylang à fortes doses et trop longtemps, car elle cause des maux de tête et des nausées.

Quelques conseils

— Lorsque vous souffrez de haute pression, de tachycardie (accélération du rythme cardiaque) ou que votre pouls devient trop rapide, massez la région du cœur avec quelques gouttes d'huile essentielle de ylang-ylang.

— Nos poumons absorbent instantanément, par la respiration, les particules d'huiles essentielles diffusées dans l'atmosphère. Utilisez l'huile essentielle de ylang-ylang en diffusion; elle sera bénéfique pour votre corps et votre esprit. Vous ressentirez également une douce sensation aphrodisiaque en inhalant cette huile essentielle.

IV

L'olfaction

Le mécanisme des impressions olfactives n'a pas encore été complètement élucidé de nos jours. L'odorat est un sens précieux qui fonctionne chaque minute de notre vie, et nous sommes toujours étonnés du pouvoir qu'il a sur notre rapport au monde. L'odorat désigne le phénomène de la perception des odeurs et l'olfaction est la fonction grâce à laquelle ce phénomène est possible. L'aromathérapie ne vit que pour l'olfaction. Elle redonne les lettres de noblesse à un sens qui connaît déjà toutes les qualités de la subtilité et de la délicatesse.

Chez l'humain, l'odorat est peut-être moins vital que chez certains mammifères qui vivent souvent en corrélation constante avec leur olfaction. Nous avons tous été témoins, à un moment ou l'autre de notre vie, de la puissance de ce sens chez les chiens ou les chats qui retrouvent la maison de leurs maîtres après avoir été déposés à des kilomètres de là. L'odorat fait partie également du rituel amoureux chez les animaux. La période du rut n'est souvent détectable que par ce sens développé à l'extrême ; le mâle reconnaît l'odeur d'une femelle en chaleur souvent située à des kilomètres de distance. Peut-être que ce sens chez l'humain n'a pas encore atteint la suprématie qu'il a chez les animaux, mais il n'en demeure pas moins que l'étude de l'aromathérapie vise à le développer et à en retirer tous les bienfaits qu'il peut nous apporter. Fait intéressant, la partie du cerveau humain qui enregistre les odeurs se situe juste à côté de celle qui enregistre les souvenirs. C'est ce qui explique que certains souvenirs ressurgissent à la conscience par l'inhalation d'odeurs reliées au passé.

L'odorat a son siège dans la muqueuse des fosses nasales. Les odeurs qui arrivent à cette région impressionnent les terminaisons des nerfs olfactifs et donnent ainsi naissance, en communiquant avec le centre olfactif, aux sensations olfactives. Le froid atténue les odeurs, tandis qu'une chaleur modérée les augmente. Enfin, pour pouvoir agir sur les cellules olfactives, il faut que les particules odorantes soient dissoutes; c'est pourquoi nos narines produisent des sécrétions muqueuses. Le nez est normalement capable de distinguer plus de 10 000 nuances différentes, et ce, à la plus grande joie de l'aromathérapie!

V

La diffusion dans l'atmosphère

La diffusion dans l'atmosphère est une des méthodes les plus utilisées et les plus bénéfiques pour profiter au maximum des huiles essentielles. Le diffuseur d'huiles essentielles constitue la base d'un tel usage. Les microparticules volatiles des essences qui s'échappent du diffuseur sont absorbées par les poumons qui rediffusent à leur tour dans le corps les principes actifs des huiles essentielles.

Les principales qualités de la diffusion dans l'atmosphère des huiles essentielles sont les suivantes :

a) Élimine toutes les odeurs désagréables provenant de la fumée, de l'odeur de cigarette, des animaux, de la nourriture (poisson, viande, etc.) qui demeurent imprégnées dans la maison. La diffusion est sanitaire et désinfectante.

b) Revitalise, régénère et redonne de l'énergie à l'air que vous respirez.

c) Apporte des ions négatifs, si souvent absents dans les villes et les intérieurs de maison. Ces ions, souvent générés par la mer, sont très bénéfiques. Le diffuseur en génère peut-être moins, mais l'apport de cette diffusion est largement suffisant pour les besoins quotidiens. Il est harmonieusement complété par les qualités aromatiques des huiles essentielles.

d) Par le choix de différentes huiles essentielles à incorporer individuellement ou ensemble dans le diffuseur, la diffusion apporte des bienfaits spécifiques :

— Huiles essentielles favorables aux voies respiratoires : cajeput, eucalyptus, hysope, lavande, niaouli, pin, thym.

— Huiles essentielles revitalisantes : coriande, géranium, girofle, muscade, origan, romarin, sarriette.

— Huiles essentielles décontractantes : bergamote, camomille, lavande, néroli, marjolaine, orange, petit-grain.

— Huiles essentielles revitalisantes et exotiques : cannelle, santal, ylang-ylang.

— Huiles essentielles douces et agréables : bois de rose, camomille, géranium, verveine.

Il est important de connaître la durée idéale de diffusion dans l'atmosphère pour les différentes utilisations que l'on désire en faire :

— Le diffuseur à piles peut fonctionner toute la journée puisqu'il agit également à titre de purificateur d'air.

— Le diffuseur électrique conventionnel, plus répandu, peut être branché une heure au maximum, matin et soir, s'il est utilisé à la maison. Dans la salle de conférence, branchez le diffuseur pendant la durée de la réunion. Dans un bureau, une boutique ou le hall d'un hôtel, laissez fonctionner le diffuseur toute la journée. Pendant une période d'infection, même si c'est à la maison, laissez fonctionner le diffuseur toute la journée.

 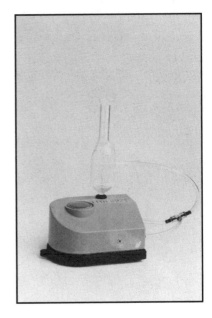

VI

Votre pharmacie naturelle de base

(Huiles essentielles de base pour les premiers soins)

Le choix des huiles essentielles à garder dans votre pharmacie doit toujours se faire selon vos besoins. La sélection que nous vous proposons ici vise à dresser la liste des avantages que chacune peut apporter pour les premiers soins.

L'huile d'amande douce : Elle constitue le meilleur solvant d'huiles essentielles lorsque vous ne pouvez les appliquer pures ou lorsque vous devez les diluer dans un mélange. Cette huile vous sera utile quotidiennement.

L'huile de germe de blé : Tout comme l'huile d'amande douce, elle se marie bien à toutes les huiles essentielles. On l'utilise principalement pour diluer les huiles essentielles fortes et les compositions d'huiles essentielles pour les enfants.

La bergamote : Cette huile a la qualité d'être antidépressive, donc elle calme rapidement toute anxiété ou nervosité. À employer en massage sur le plexus solaire (1 à 2 gouttes suffisent) ou encore en bain (15 gouttes d'huile essentielle de bergamote dans un quart de tasse d'huile d'amande douce).

La camomille : Cette huile a la qualité d'être calmante, anti-inflammatoire, sédative et bénéfique
pour les enfants. Elle traite efficacement la nervosité, les crampes menstruelles et les problèmes rencontrés lors de la ménopause. Elle soulage les douleurs de toutes sortes, les migraines et les maux de
tête, les maux de dents (surtout chez les bébés), les
brûlures et l'eczéma. Elle prévient également les
insomnies. Les otites peuvent être soulagées en
massant le contour des oreilles avec quelques gouttes de cette huile ou encore en compresse. Un bain
calmant bénéfique se composera de cinq gouttes
d'huile essentielle de camomille, cinq gouttes de
lavande ou d'orange diluées dans un peu d'huile
d'amande douce ou de lait en poudre.

Le citron : L'huile essentielle de citron est un antiseptique général ; elle stimule le système immunitaire en plus de détruire les bactéries et les verrues
en quelques heures. Elle est très bénéfique en friction pour les débuts de grippe et les maux de gorge.
Il suffit de mélanger quelques gouttes de citron avec
de l'huile d'amande douce et de l'appliquer en massage sur la gorge. Le traitement en sera renforcé si
vous prenez une goutte d'huile essentielle de citron
toutes les trois heures. En plus de désinfecter tous
les types de plaies, le citron arrête rapidement les
saignements causés par les plaies mineures (quelques gouttes sur l'endroit touché). Les saignements
de nez s'arrêteront rapidement en y introduisant un
coton-tige imbibé d'huile essentielle de citron.

L'eucalyptus : C'est un antiseptique général. Lorsqu'il est utilisé en diffusion, il prévient l'épidémie et
les infections des voies respiratoires (comme les
bronchites, les grippes et les sinusites). Cette huile
essentielle calme la toux et fluidifie le mucus. L'eucalyptus est un très bon décongestionnant lorsqu'on

l'utilise en massage sur la région des sinus. On peut également insérer un coton-tige imbibé d'huile essentielle dans le nez pour remédier à la congestion. La grippe se traite efficacement par la friction d'un baume composé de 10 gouttes d'huile essentielle d'eucalyptus dans un quart de tasse d'huile d'amande douce sur le thorax et dans le dos. L'inhalation de quelques gouttes déposées dans le creux de la main sera bénéfique pour diminuer les symptômes de la grippe. À inhaler au moins sept minutes, trois fois par jour.

La lavande: Cette huile essentielle a la qualité de cicatriser très rapidement les plaies, tout en évitant l'infection. Elle est adoucissante lorsqu'elle est appliquée sur les brûlures et les piqûres. Elle calme l'anxiété et favorise le sommeil. L'huile essentielle de lavande est à conseiller en diffusion pour calmer et pour empêcher la diffusion des bactéries. Pour traiter les plaies, appliquez l'huile essentielle pure directement sur l'endroit touché. Pour relaxer, prenez un bain dans lequel vous aurez versé 15 gouttes de lavande (la moitié seulement est nécessaire pour les enfants).

La menthe: Les propriétés digestives de la menthe sont bien connues. Puisqu'elle est rafraîchissante, on l'utilise pour bien se réveiller le matin et éviter les fatigues mentales. Pour enrayer les maux de tête, appliquez une goutte d'huile essentielle de menthe sur les tempes et la nuque. Après un repas lourd, une à deux gouttes suffisent pour faciliter la digestion. Elle est à éviter avant le sommeil puisqu'elle pourrait le troubler. Ne l'employez jamais pour un bain ou un massage (pure), car elle abaisse la température du corps.

Le niaouli: C'est un puissant antiseptique pulmonaire et stimulant tissulaire. Le niaouli traite favorablement la bronchite chronique, les plaies infectées et agit comme antibiotique naturel pour traiter toute infection importante. Appliquez quatre gouttes d'huile essentielle de niaouli sous les pieds trois fois par jour pour remédier à l'infection.

L'orange : Cette huile essentielle constitue en elle-même le meilleur sédatif nerveux. Elle calme les enfants agités, favorise le sommeil et apaise les maux de ventre. Puisqu'elles sont très douces, l'orange et la lavande sont des huiles que l'on peut donner aux nourrissons. L'huile essentielle d'orange a également la propriété de calmer la douleur. À conseiller en bain et en diffusion.

La sauge : Cette huile essentielle est bénéfique aux femmes puisqu'elle régularise les menstruations, empêche les chaleurs lors de la ménopause et prévient les douleurs menstruelles. On l'apprécie également pour ses qualités toniques, elle diminue la transpiration et les sueurs nocturnes. Pour les menstruations difficiles, déposez une goutte d'huile essentielle de sauge dans le nombril toutes les heures, ou encore faites un massage sur le bas du ventre avec cinq gouttes d'huile essentielle diluées dans un peu d'huile d'amande douce. Pour les troubles relatifs à la ménopause, frictionnez les pieds matin et soir avec trois gouttes d'essence de sauge dans un peu d'huile d'amande douce. La transpiration sera atténuée si vous saupoudrez les régions des pieds et des aisselles avec de l'argile blanche ou de la poudre dans laquelle vous aurez versé quelques gouttes d'huile essentielle de sauge.

Autres produits à garder dans votre pharmacie naturelle

L'argile verte en tube : Elle est indispensable pour soigner toutes plaies, piqûres, brûlures et égratignures. Elle attire vers l'extérieur les corps étrangers comme les échardes, le pus, la vitre, et favorise la cicatrisation.

La crème *Rescue*: Elle aide à atténuer les douleurs causées par les coupures, les brûlures, les ecchymoses, et soigne efficacement les maux de tête causés par des émotions fortes.

Les différents moyens d'utiliser les huiles essentielles

— En diffuseur: Déposez de 10 à 20 gouttes d'huile essentielle au choix.

— En bain: Versez 10 à 15 gouttes d'huile essentielle dans de l'huile d'amande douce, du lait en poudre, du savon liquide ou de l'algue verte.

— En compresse: Déposez trois à cinq gouttes d'huile essentielle dans un bol rempli d'eau chaude ou froide, selon le cas. Trempez une serviette dans l'eau et appliquez sur l'endroit désiré.

Le dosage

— Pour les nouveau-nés: Évitez d'utiliser les huiles essentielles sur les nourrissons jusqu'à ce qu'ils aient atteint au moins trois semaines de vie. La lavande, la camomille et l'orange sont les seules huiles essentielles à utiliser, jamais pures, mais plutôt diluées dans de l'huile d'amande douce.

— De 3 à 18 mois: Utilisez le quart du dosage normalement conseillé. Par exemple, 12 gouttes nécessaires pour un adulte équivalent à 3 gouttes chez un bébé de cet âge.

— De 18 mois à 7 ans : Utilisez la moitié du dosage recommandé. Pour 12 gouttes données norma- lement à un adulte, 6 gouttes seront nécessaires à l'enfant.

— De 7 à 14 ans : Utilisez de la moitié à la dose normale selon le poids de l'enfant.

En moyenne, un maximun de 15 gouttes devraient être versées dans 30 mL de solvant (huile d'amande douce, huile de germe de blé ou autre) et 25 gouttes dans 50 mL.

VII

Votre pharmacie beauté

(Huiles essentielles de base pour les soins de la peau)

Voici une sélection des huiles essentielles les plus pratiques à garder dans votre pharmacie. Elles constituent la base de plusieurs types de mélanges que vous pouvez faire vous-même afin de créer vos propres lotions, crèmes et toniques naturels. Afin de vous donner un aperçu général, un résumé des propriétés propres à chaque huile essentielle accompagne l'énumération, ce qui éclairera votre choix.

Le bois de rose : L'huile essentielle de bois de rose est très bénéfique pour la régénération tissulaire. Elle est raffermissante et convient parfaitement aux peaux déshydratées et sèches.

La camomille : Elle est reconnue pour ses qualités adoucissantes. Lorsqu'elle est combinée à de l'huile essentielle de bois de rose, elle constitue un des plus puissants régénérateurs tissulaire et cellulaire.

Le citron : Dépuratif, le citron redonnera à votre peau toute la pureté dont elle a besoin. Il traite à merveille l'acné, les plaies, l'herpès et les furoncles. En application directe sur les plaies et les boutons, l'huile essentielle de citron les assèche et les aide à guérir rapidement.

Le cyprès : À utiliser si vous avez la peau grasse. Cette huile est également astringeante.

Le genièvre : Cette huile essentielle est bienfaisante pour tous les types de dermatose (tel l'eczéma) et soulage les plaies en tout genre. Elle aide également à éliminer les toxines. Pour traiter les éruptions cutanées, les taches, les boutons, les rougeurs et l'herpès buccal, appliquez quelques gouttes d'huile essentielle de genièvre directement sur la plaie.

Le géranium : Tonique et cicatrisante, l'huile essentielle de géranium rééquilibre la quantité de sébum qui se trouve à la surface de votre peau. Idéale avec la lavande pour les peaux normales à sèches. Un mélange de cinq gouttes de chacune de ces huiles dans un peu d'huile d'amande douce ou de crème neutre est à conseiller pour les soins quotidiens.

La lavande : L'huile essentielle de lavande est calmante et cicatrisante. Elle soulage les plaies, les brûlures et les irritations causées par le rasage, l'acné et les maladies de la peau. La lavande mélangée avec la camomille convient aux peaux sèches. Pour les peaux grasses, on l'ajoutera à l'huile essentielle de citron. Pour les peaux irritées, un mélange de lavande et de géranium est idéal.

Le niaouli : Très efficace contre l'acné purulente, le niaouli aidera à désinfecter et à guérir les plaies. Ajoutez de la lavande au niaouli pour une guérison rapide.

Le romarin : L'huile essentielle de romarin a la propriété d'être tonique. Elle est aussi cicatrisante, raffermissante et constitue un élément de base pour le traitement contre les rides.

En plus des huiles essentielles, quelques produits naturels peuvent compléter harmonieusement votre pharmacie beauté. Ces produits sont souvent nécessaires dans la préparation de vos crèmes, lotions ou toniques. Vous devriez leur réserver une place de choix sur vos tablettes. En premier lieu, **les eaux florales** sont très utiles, seules ou avec les huiles essentielles. L'eau florale de bleuet est très appréciée pour le soin des yeux, celle de camomille pour la peau sensible, celle de lavande convient à tous les types de peaux et celle de thym s'adresse aux peaux atteintes d'acné. Votre pharmacie devrait idéalement contenir de **l'argile blanche ou verte**, du **miel**, des **algues en poudre** (la plus connue des algues vertes est la spiruline Gandalf), de **l'huile de germe de blé**, de **l'huile d'amande douce**, de la **crème neutre** ou du **lait neutre** pour le corps, et quelques **bouteilles vides** pour vos mélanges maison.

VIII

Comment préparer soi-même
ses produits de beauté

1. Les bains

L'art de prendre un bain aromatique efficace s'acquiert très rapidement. Vous en retirerez encore plus de plaisir si vous créez vous-même vos propres compositions, et ce, selon vos besoins et vos goûts du jour! La température de l'eau est un des éléments de base pour la pleine jouissance de ce moment. De préférence, elle sera tiède ou chaude, de 36 à 39° selon votre désir. La durée sera de 15 à 30 minutes, pour permettre aux huiles essentielles de pénétrer l'épiderme et d'en ressortir pleinement relax. La fréquence sera de un à deux bains par jour pour les maladies aiguës, un bain par jour ou aux deux jours pour les maladies chroniques, et au goût pour le simple fait de vouloir relaxer. Le temps de repos obligatoire après un bain est de 5 à 15 minutes.

Le but du bain est de se détendre, d'ouvrir les pores et d'éliminer les toxines. En sortant du bain, ne vous essuyez pas. Enveloppez-vous directement dans un peignoir. Allongez-vous avec une serviette autour du cou et des pieds, et gardez une couverture à portée de la main pour vous en couvrir. Relaxez dans cette position de 5 à 15 minutes. Le tout assure à l'organisme une transpiration efficace et une élimination essentielle des toxines du corps.

Si le bain que vous avez choisi de prendre est tonique, prenez une douche fraîche ou froide après cinq minutes de détente. Frictionnez-vous ensuite avec une composition d'huiles essentielles toniques ou stimulantes. Il est à noter que toutes les huiles aromatiques pour le bain peuvent s'utiliser sous la douche. Dans ce cas, utilisez-les diluées dans des solvants mousseux ou laiteux.

Les huiles essentielles ne se diluent pas dans l'eau, aussi faut-il toujours mélanger les huiles dans un solvant naturel avant de les verser dans l'eau. Vous pourriez ressortir du bain avec des brûlures sur le corps si les huiles essentielles étaient incorporées pures. L'huile essentielle de lavande est la seule qui peut s'utiliser telle quelle dans l'eau du bain. Pour les adultes, il suffit d'ajouter 15 gouttes d'huile essentielle de lavande pure à l'eau du bain. Pour les bébés cependant, prenez soin de diminuer la dose (cinq gouttes, pas plus) en la diluant dans une cuillère à café d'huile de germe de blé ou d'huile d'amande douce.

Comment préparer une huile pour le bain : En règle générale, on utilise 10 à 30 % d'huile essentielle diluée dans un solvant naturel. Ce dernier peut être de l'huile de germe de blé, de l'huile d'amande douce, de la poudre de lait ordinaire ou non écrémé (deux à trois cuillères à soupe), du shampoing ou une base neutre (une cuillère à soupe), un jaune d'œuf ou de la poudre d'algue (une à deux cuillères à soupe).

Quelques exemples de bains aromatiques

Bain rafraîchissant (à prendre surtout le matin)

10 gouttes d'huile essentielle de romarin
5 gouttes d'huile essentielle de petit-grain ou de bergamote
dans un solvant naturel.

Bain pour les muscles fatigués (idéal après un effort physique ou au retour d'une dure journée de travail)

Pour le matin :

5 gouttes d'huile essentielle de lavande
5 gouttes d'huile essentielle de marjolaine
4 gouttes d'huile essentielle de romarin
dans un solvant naturel.

Pour le soir :

6 gouttes d'huile essentielle de romarin
4 gouttes d'huile essentielle de marjolaine
5 gouttes d'huile essentielle de lavande
dans un solvant naturel.

Bain pour favoriser le sommeil et la relaxation

10 gouttes d'huile essentielle de lavande
5 gouttes d'huile essentielle de bergamote, de marjolaine ou de camomille (au choix)
dans un solvant naturel.

Ou encore :

10 gouttes d'huile essentielle de néroli
5 gouttes d'huile essentielle de camomille
dans un solvant naturel.

Bain pour éliminer les symptômes du rhume et autres infections provoquées par un virus

Pour le matin :

2 gouttes d'huile essentielle de lavande
5 gouttes d'huile essentielle de romarin
5 gouttes d'huile essentielle de niaouli
dans un solvant naturel.

Pour le soir :

5 gouttes d'huile essentielle de lavande
2 gouttes d'huile essentielle de bergamote
5 gouttes d'huile essentielle de niaouli
dans un solvant naturel.

Si le symptôme est accompagné de maux de gorge :

3 gouttes d'huile essentielle de lavande
3 gouttes d'huile essentielle de thym
6 gouttes d'huile essentielle de niaouli
dans un solvant naturel.

Bain désintoxiquant

Pour le matin :

5 gouttes d'huile essentielle de géranium
5 gouttes d'huile essentielle de romarin
5 gouttes d'huile essentielle de genièvre
dans un solvant naturel.

Pour le soir :

10 gouttes d'huile essentielle de genièvre
5 gouttes d'huile essentielle de lavande
dans un solvant naturel.

Bain aphrodisiaque

10 gouttes d'huile essentielle de bois de santal
5 gouttes d'huile essentielle de ylang-ylang
dans un solvant naturel.

Bain pour bébé

1 goutte d'huile essentielle de camomille
1 goutte d'huile essentielle de lavande
dans un solvant naturel.

2. Les huiles aromatiques pour le corps

Les huiles aromatiques parfumées sont indispensables à une bonne hygiène corporelle. Elles constituent l'équilibre au quotidien pour votre peau. En plus d'assouplir l'épiderme, elles la protègent et laissent sur votre peau un voile parfumé rempli de fraîcheur. Qu'il soit question d'huiles ou de laits aromatiques, il est essentiel de les utiliser quotidiennement puisqu'après le bain, il faut nourrir sa peau comme on nourrit son corps. En règle générale, dans 30 mL d'huile de base, on ajoute 15 gouttes d'huile essentielle au choix. En ce qui concerne les huiles de base, il faut savoir que **l'huile de millepertuis** assouplit le grain de la peau, **l'huile de germe de blé** apporte la vitamine E et tonifie, l'exceptionnelle **huile essentielle de rose** crée une activité régénératrice et anti-rides étonnante, et qu'un **lait neutre** peut tout aussi bien remplacer une huile de base. Il suffira alors d'ajouter les huiles essentielles directement au lait.

Les huiles pour le corps et pour le bain peuvent s'utiliser en massage. Il suffit de les diluer. À chaque type de massage correspond une huile à utiliser et à doser différemment. Ces huiles sont qualifiées de : «huileuses», «grasses» ou «pénétrantes». Voici un éventail des huiles qui s'utilisent harmonieusement pour un massage :

L'huile de germe de blé : Riche en vitamine E, cette huile a la propriété d'être régénératrice et pénètre l'épiderme sans graisser.

L'huile de coco : Grasse et épaisse, elle demeure longtemps en surface. Idéale pour les longs massages.

L'huile de millepertuis : Cette huile est le produit d'une double macération des fleurs de millepertuis dans l'huile d'olive. Elle a la propriété de faire regonfler les cartilages intervertébraux.

L'huile de sésame: Légère et fine, elle est très pénétrante.

L'huile d'amande douce ou de noisette: Légère et pénétrante, cette huile devient toutefois rance rapidement, c'est-à-dire qu'elle prend une odeur forte et un goût âcre.

L'huile de pépin: C'est une huile idéale pour le massage.

Quelques exemples d'huiles aromatiques à utiliser pour un massage

Huile de massage relaxante

Prendre une de ces huiles essentielles au choix, dans 50 à 60 mL d'une des huiles de base mentionnées plus haut:

1 goutte d'huile essentielle de rose
15 gouttes d'huile essentielle de bois de rose
1 goutte d'huile essentielle de néroli
5 gouttes d'huile essentielle de petit-grain
10 gouttes d'huile essentielle de marjolaine

Huile de massage rafraîchissante

Prendre une de ces huiles essentielles au choix, diluée dans 50 à 60 mL d'huile naturelle:

1 goutte d'huile essentielle de rose
15 gouttes d'huile essentielle de bois de rose
4 gouttes d'huile essentielle de menthe
5 gouttes d'huile essentielle de romarin
1 goutte d'huile essentielle de verveine

Huile de massage réconfortante

Choisir parmi une de ces huiles essentielles celle qui vous convient le mieux dans 50 à 60 mL d'huile naturelle:

1 goutte d'huile essentielle de rose
15 gouttes d'huile essentielle de bois de rose
10 gouttes d'huile essentielle de géranium
3 gouttes d'huile essentielle de santal

Huile de massage décongestionnante après un effort physique, la marche ou les échauffements

Mélanger dans 100 mL d'huile de germe de blé ou de millepertuis, ou encore dans 100 à 200 mL de lait neutre ces huiles essentielles :

10 gouttes d'huile essentielle de géranium
5 gouttes d'huile essentielle de citron
10 gouttes d'huile essentielle de bois de rose
10 gouttes d'huile essentielle de romarin
3 gouttes d'huile essentielle de menthe
5 gouttes d'huile essentielle de ylang-ylang

Quelques conseils

— Pour les massages de style « shiatsu », utilisez les huiles essentielles ou les huiles pour le bain fortement concentrées (de 30 à 40 % d'huile essentielle pour 60 à 70 % d'huile de base).

— Pour les massages de type « californien-kinési-thérapie », utilisez de la crème neutre et de l'huile de pépin dans lesquelles vous ajouterez de l'huile de germe de blé, de l'huile de millepertuis et une huile essentielle.

— Pour les massages de type « roffing-magnétisme », appliquez les huiles essentielles nature sur la peau. Certaines huiles essentielles ne peuvent cependant pas être appliquées pures. Vérifiez avant de les utiliser.

— Si vous désirez obtenir une huile de massage qui demeurera en surface (dite grasse), choisissez 3 à 5 gouttes d'huile essentielle et ajoutez-les dans 120 mL d'huile de coco ou d'huile d'olive.

— Une huile de massage ayant les qualités d'être pénétrante et régénératrice se compose de 3 à 5 mL d'huile essentielle, de 60 mL d'huile de germe de blé, de 30 mL d'huile de sésame et de 30 mL d'huile de millepertuis.

— N'oubliez pas que tout produit de soin pour le corps devrait pouvoir se «manger», puisqu'il est absorbé et digéré par la peau.

— Une huile de massage neutre, que l'on peut utiliser plusieurs fois, est idéalement composée de 50 gouttes d'huile essentielle (une seule de votre choix), 100 mL d'huile d'amande douce et de crème de base neutre. Il est important de toujours écrire la date sur votre mélange. Une huile de massage de ce type se conservera trois mois.

— Vous pouvez également composer une huile de massage spécialement pour les enfants. Choisissez 10 gouttes d'huile essentielle de camomille, d'eucalyptus ou d'orange, et versez-les dans 30 mL d'huile de germe de blé, ou d'huile de sésame, ou d'huile d'amande douce. Les enfants adorent l'odeur de l'orange et de la camomille.

Voici quelques propriétés qu'offrent les huiles essentielles lorsqu'elles sont utilisées pour un massage :

Les huiles relaxantes : la lavande, la marjolaine, l'orange, la camomille, le petit-grain, le néroli, la sauge, la rose, le benzoin.

Les huiles toniques : le romarin, la sarriette, le géranium, le gingembre, le citron, le poivre noir, la menthe.

Les huiles respiratoires : le pin, le thuya, l'eucalyptus, le cajeput, le niaouli.

Les huiles circulatoires : la sauge, le cyprès, la menthe.

Les huiles anti-douleurs : le thuya, le romarin, le bouleau, le genièvre.

Les huiles vivifiantes : le romarin, la menthe, la cannelle.

Les huiles aphrodisiaques : le ylang-ylang, le santal, le jasmin, le néroli, la sauge.

— Si vous désirez rafraîchir votre huile de massage, ajoutez-y quelques gouttes d'huile essentielle de menthe.

— Si vous désirez réchauffer votre huile de massage, ajoutez-y quelques gouttes de thym ou de cannelle.

3. Les huiles essentielles en friction

La friction faite avec des huiles essentielles apporte une énergie nouvelle nécessaire à notre organisme. Vous prendrez plaisir à les apprécier, matin et soir, en friction sur la nuque, le plexus solaire, la colonne vertébrale et la plante des pieds. Le pouvoir des huiles essentielles en friction se trouve dans le fait qu'elles se dirigent vers l'organe faible pour traiter le mal efficacement. Il suffit de stimuler les points stratégiques de votre corps pour qu'il puisse bénéficier du pouvoir thérapeutique des huiles essentielles.

Quand faire les frictions ?

— Le matin, de 6 h à 12 h (tonique du matin)

— Le soir de 18 h à minuit (décontractante)

— À 17 h et avant le coucher (aphrodisiaque)

— Après chaque repas (digestive)

105

— Le matin et le soir (respiratoire)

— Le matin, à 17 h et avant le coucher (circula-toire)

— Le matin et le soir (bénéfique pour les pieds)

Comment faire les frictions?

Déposez 20 gouttes d'une huile essentielle de votre choix dans le creux de la main et appliquez sur les parties à traiter et le plexus solaire.

4. Les huiles essentielles pour le visage et le contour des yeux

Les huiles essentielles les plus bénéfiques pour le visage et le contour des yeux sont la camomille, la lavande, la rose et le romarin. Voici deux compositions pour le soin du visage qui donneront de l'éclat à votre peau :

Composition anti-rides

5 gouttes d'huile essentielle de romarin
5 gouttes d'huile essentielle de camomille
dans 20 mL d'huile de germe de blé.

Appliquez deux fois par jour sur le visage, en mettant l'accent sur le contour des yeux.

Huile contour des yeux

60 mL d'huile de germe de blé
5 mL d'huile de millepertuis
25 gouttes d'huile essentielle de lavande
5 gouttes d'huile essentielle de rose

Le meilleur produit de beauté pour le soin des yeux est l'huile de germe de blé. En plus d'avoir une efficacité indiscutable, elle est la moins chère sur le marché. Si une rougeur apparaît sur votre visage lors de l'application, ajoutez au mélange 10 mL d'huile de germe de blé.

5. Les huiles aromatiques pour les cheveux, les pieds et les ongles

Les huiles essentielles ont un rôle revitalisant lorsqu'on les applique sur les cheveux. Elles revitalisent le cuir chevelu en plus de leur redonner de la brillance et de l'éclat. Pour embellir les cheveux secs, rien de mieux qu'un traitement aux huiles essentielles avant le shampoing. Pour des résultats efficaces, il faut laisser agir le traitement de 4 à 12 heures. **Le romarin** est excellent pour les cheveux foncés. Enduisez vos cheveux de quelques gouttes à l'eau du rinçage. **La camomille** est reconnue pour ses bienfaits sur les cheveux blonds et pâles. Elle redonne une touche de doré et de la brillance aux cheveux. Attention, elle peut assécher les cheveux. Pour éviter ce problème, mélangez l'huile essentielle de camomille (quelques gouttes) avec un peu d'huile d'amande douce ou d'olive. Enveloppez vos cheveux humides dans une serviette chaude et laissez agir ce traitement environ une heure. Pour enrayer votre problème de pellicules, mélangez quelques gouttes d'huiles essentielles de **bergamote** et de **lavande** à de l'huile d'amande douce et faites le même traitement qu'avec la camomille.

Les mains sèches et rugueuses redeviendront douces et hydratées avec de l'huile essentielle de benzoin.

Pour soulager les pieds qui transpirent et qui «chauffent», massez-les avec ce mélange:

> 20 mL d'huile de germe de blé
> 80 mL d'huile de sésame, d'olive ou d'amande douce (au choix)
> 3 gouttes d'huile essentielle de menthe
> 15 gouttes d'huile essentielle de lavande
> 5 gouttes d'huile essentielle de sauge

Pour revitaliser les ongles cassants, fragiles et mous, donnez-leur un bain composé d'une cuillère à soupe d'huile d'olive, du jus d'un citron frais et d'une goutte d'huile essentielle de citron. Une fois par jour, pendant une à trois semaines, et les résultats seront étonnants.

Votre animal préféré a des puces ? Voici un mélange efficace à masser sur la fourrure de l'animal :

> 10 gouttes d'huile essentielle de géranium
> 10 gouttes d'huile essentielle de sauge
> 5 gouttes d'huile essentielle de thuya
> 10 gouttes d'huile essentielle de lavande

Mélangez le tout dans un savon neutre ou de l'huile d'amande douce. Après en avoir enduit l'animal, laissez agir 10 minutes et lavez-le comme à l'habitude.

6. La fumigation et l'inhalation des huiles essentielles

Avant les soins du visage et les vaporisations, les huiles essentielles s'utilisent pour préparer la peau du visage, du cou et du buste à recevoir un soin, un masque, une crème ou une lotion.

La fumigation consiste à associer quelques gouttes d'une huile essentielle au choix à la vapeur d'eau chaude. Pour ce faire, on peut utiliser un récipient d'eau très chaude, un inhalateur (ou ce qu'on appelle un «vapomasque»), dans lesquels on ajoutera les huiles essentielles choisies. Le meilleur traitement consiste à présenter le visage au-dessus du récipient et à couvrir la tête d'une serviette, comme on le ferait pour un bain de vapeur, trois à quatre minutes. Selon chaque type de peau, il convient de choisir une huile essentielle adéquate.

Avant un soin, pour dilater les pores, ajoutez 5 à 10 gouttes d'huile essentielle à l'eau :

Convenant à toutes les peaux : genièvre, cèdre ou sassafras.

Convenant aux peaux acnéiques : genièvre et cèdre, ou citron et sassafras, ou thym et citron.

Pour refermer les pores, après le soin, déposez 5 à 10 gouttes d'un des mélanges d'huiles essentielles suivantes :

> Pour la peau sèche : lavande, bois de rose et géranium.
> Pour la peau grasse : lavande, bois de rose et citron.
> Pour la peau ridée : romarin, bois de rose et santal.
> Pour la peau congestionnée : cyprès, lavande et bois de rose.
> Pour la peau irritée : bois de rose, lavande et camomille.
> Pour tous les types de peaux : la sauge.

7. Les masques

Les masques à base de miel, d'huile essentielle et d'argile permettent d'assainir et d'adoucir la peau du visage. Pour confectionner vos masques préférés avec ces bases, utilisez des récipients en verre ou en porcelaine, jamais de plastique. Si votre mélange demande de l'eau pour favoriser l'homogénéité entre les ingrédients, utilisez une eau distillée ou minérale.

Masque au miel (idéal pour la peau fragile et sèche)

Dans trois cuillères à soupe de miel, ajoutez cinq gouttes d'huile essentielle de bois de rose, de romarin ou de géranium (au choix et selon le type de peau).

Masque d'argile

Dans trois cuillères à soupe d'argile verte, rose ou blanche, ajoutez une à deux gouttes de chacune des huiles essentielles suivantes : lavande, bois de rose et citron. Un maximum de six gouttes d'huiles essentielles.

Masque nettoyant (excellent pour les peaux acnéiques)

Ajoutez trois gouttes d'huile essentielle de sassafras et six gouttes d'huile essentielle de lavande à deux cuillères à soupe de miel.

Masque pour toutes les peaux

Mélangez deux gouttes d'huile essentielle de citron à de l'argile verte, rose ou blanche dans un peu d'eau pour obtenir une pâte. Gardez sur le visage 7 à 10 minutes. Rincez le tout à l'eau tiède.

Masques pour peaux déshydratées, atteintes de rougeurs ou de couperose

Déposez une goutte d'huile essentielle de camomille dans de l'argile et ajoutez-y un peu d'eau. Rincez le visage après avoir gardé le masque environ cinq minutes.

Masque anti-rides

Ajoutez trois gouttes d'huile essentielle de romarin et trois gouttes d'huile essentielle de bois de rose à deux cuillères à soupe de miel. Conservez le masque sur votre visage cinq minutes. Rincez à l'eau tiède.

8. Les compresses à base d'huiles essentielles

Pour les brûlures de la peau, une compresse à base d'huile essentielle de lavande les calme et les cicatrise. L'huile de millepertuis donne les mêmes résultats. Il est important de ne jamais appliquer les compresses sur les brûlures des yeux, sous peine d'aggraver l'échauffement.

Préparation pour soulager les brûlures

> 10 gouttes d'huile essentielle de lavande
> 5 gouttes d'huile essentielle de géranium
> 5 gouttes d'huile essentielle de romarin

À appliquer en compresse. On peut également diluer le mélange avec une cuillère à café d'huile de germe de blé et une cuillère à café d'huile de millepertuis. Cette compresse est excellente avec un cataplasme d'argile (inséré entre deux linges et appliqué sur la partie du corps touchée). Seule l'huile de millepertuis soulage les brûlures causées par le soleil. Elle favorise d'ailleurs le bronzage en évitant les coups de soleil : il suffit de l'appliquer aux deux heures lors d'une exposition au soleil.

Préparation pour les infections vaginales

Trois huiles essentielles seulement peuvent être utilisées pour les injections vaginales : la lavande, le géranium et le niaouli.

Versez cinq gouttes d'huile essentielle de lavande ou trois gouttes de lavande et trois gouttes de géranium dans de l'eau chaude. Utilisez en injection.

Préparation pour l'hygiène féminine

Déposez trois à quatre gouttes d'huile essentielle de lavande sur vos tampons et serviettes hygiéniques. Il n'y a aucun danger d'infection puisque l'huile essentielle de lavande est naturelle. Elle empêchera les odeurs désagréables.

Préparation pour les lavements

Ajoutez une cuillère à café d'huile d'olive à 5 à 10 gouttes d'huile essentielle de lavande. Versez ce mélange dans un récipient d'eau.

Quelques conseils

— Faites toujours les compresses avec quatre à cinq gouttes d'huile essentielle diluées dans un bol d'eau chaude.

— Pour de meilleurs résultats, trempez la serviette plusieurs fois dans l'eau et appliquez ensuite en compresse sur l'endroit douloureux.

IX

Aromathérapie culinaire

L'industrie alimentaire utilise de nombreuses plantes, extraits et essences de plante dans la confection des aliments. Malheureusement, leur contribution n'est souvent que mineure, et cela au profit des ingrédients chimiques. Les huiles essentielles se prêtent très bien aux recettes que l'on confectionne chez soi. Pourquoi ne pas mettre quelques gouttes de nature dans vos plats préférés? Le goût de vos aliments n'en sera que rehaussé!

Les plats salés

Dans les plats consistants comme les ragoûts, les choucroutes et les viandes, les huiles essentielles apporteront leurs qualités aromatiques, et ce, tant sur le plan gustatif que digestif. Voici quelques exemples d'huiles essentielles à ajouter dans vos plats cuisinés. La proportion de gouttes à ajouter a été calculée en fonction de mets convenant à environ six personnes.

— Dans votre couscous qui mijote, ajoutez une goutte d'huile essentielle de genièvre, deux gouttes d'huile essentielle de cumin et une goutte d'huile essentielle de carvi.

— Ajoutez à votre choucroute maison quatre gouttes d'huile essentielle de genièvre, une goutte d'huile essentielle de carvi et une goutte d'huile essentielle de coriandre.

— Pour tous vos ragoûts et viandes en sauce, ajoutez selon votre goût des huiles essentielles de thym, de laurier, de sauge et de romarin. N'excédez pas huit gouttes au total. Au moment de servir, rectifiez votre assaisonnement avec du sel, du poivre, du piment, du cari ou du safran (selon le plat) et ajoutez-y les huiles essentielles. Elles donneront bon goût à vos plats mijotés.

Recettes aromatiques

Trempette à l'ail et à la lime

    4 c. à soupe de mayonnaise
    2 gousses d'ail écrasées
    4 gouttes d'huile essentielle de lime

Trempette aux tomates et au citron

    4 c. à soupe de mayonnaise
    1 c. à café de purée de tomate
    4 gouttes d'huile essentielle de citron

Vous pouvez ajouter quelques gouttes de tabasco et du poivre noir, au goût.

Œuf à la russe en entrée

    6 œufs cuits dur
    1 c. à café d'olives vertes, tranchées finement
    3 c. à soupe de mayonnaise
    1 c. à café d'oignon coupé finement
    1 goutte de tabasco

2 gouttes d'huile essentielle de citron
1 goutte d'huile essentielle de pamplemousse

Coupez les œufs en deux et enlevez les jaunes. Déposez les jaunes dans un bol et ajoutez-y tous les autres ingrédients. Formez une pâte et déposez-la à l'intérieur des moitiés d'œufs réservés. Décorez avec du persil.

Boules au poulet à la menthe

3/4 lb de poulet coupé en morceaux (de préférence dans la poitrine ou la même quantité de tofu si vous désirez faire un plat végétarien)
1 œuf battu
1 petit oignon coupé en morceaux
2 c. à soupe de chapelure
1 c. à soupe de persil frais ou séché
1 goutte d'huile essentielle de menthe
1 pincée de cannelle
Sel et poivre au goût
Huile pour friture

Mettez tous les ingrédients (sauf la chapelure) dans un bol et mélangez-les bien. Roulez les morceaux de poulet dans la chapelure et faites-les frire dans l'huile jusqu'à ce que le poulet ait une couleur blanche.

Soupe aux tomates, aux pommes de terre et au basilic

1 lb de tomates coupées en morceaux
1 lb de pommes de terre coupées en morceaux
2 oignons hachés finement
2 c. à soupe de beurre
2 tasses d'eau
2 c. à soupe de bouillon de poulet
1 c. à soupe de sucre
2 c. à café de yogourt nature

2 gouttes d'huile essentielle de basilic
Sel et poivre au goût

Faites fondre le beurre. Ajoutez-y les oignons et les tomates. Faites revenir quelques minutes. Ajoutez ensuite l'eau et portez à ébullition. Ajoutez à ce moment les pommes de terre, le sucre, le sel et le poivre. Laissez mijoter le tout environ 15 minutes. Au moment de servir, déposez le yogourt et l'huile essentielle de basilic sur la soupe.

Soupe aux carottes et à la mandarine

1 lb de carottes coupées
1 pomme de terre coupée
1 petit oignon haché finement
1 c. à soupe de beurre
2 1/2 tasses de bouillon de légumes
4 gouttes d'huile essentielle de mandarine
Sel et poivre au goût

Faites fondre le beurre. Ajoutez-y les carottes, la pomme de terre, le sel et le poivre. Laissez cuire 10 minutes. Ajoutez ensuite le bouillon de légumes et amenez à ébullition. Lorsque la soupe est prête, ajoutez l'huile essentielle de mandarine.

Salade de pommes de terre

2 lb de pommes de terre
4 c. à soupe de mayonnaise
1 c. à soupe d'échalotes hachées finement
1 petit oignon coupé finement
5 gouttes d'huile essentielle de citron
1 goutte d'huile essentielle de menthe

Faites bouillir les pommes de terre et laissez ensuite refroidir. Coupez-les en dés et ajoutez-y les ingrédients. Mélangez bien et faites refroidir au réfrigérateur quelques heures.

Filet de sole au citron et aux amandes

    2 filets de sole
    1 c. à soupe d'huile végétale
    3 gouttes d'huile essentielle de citron
    1 c. à soupe d'amandes en flocons
    Sel et poivre au goût

Incorporez tous les ingrédients, sauf les filets de poisson, et badigeonnez la sole. Recouvrez d'amandes et faites cuire dans la poêle ou au four.

Poulet au miel

    1 poulet entier moyen
    4 c. à soupe de miel
    2 gouttes d'huile essentielle de citron
    2 gouttes d'huile essentielle d'orange
    1 verre de vin blanc
    1 petite orange
    1 citron
    4 oz de yogourt nature
    2 oz de beurre

Incorporez les huiles essentielles dans le vin et le miel. Placez ensuite les fruits dans le poulet. Badigeonnez le poulet avec le beurre et faites rôtir 45 minutes. Sortez le poulet du four et badigeonnez-le de nouveau avec le mélange d'huiles essentielles, en prenant soin d'en réserver un peu. Finissez la cuisson à 325 °F. Faites une sauce d'accompagnement avec le reste des ingrédients.

Les plats sucrés

Les huiles essentielles sont des ingrédients de choix dans la préparation des pâtisseries, des confiseries, des sorbets, des crèmes et des liqueurs fines. Pour un dessert de six personnes (flans, sorbets, crèmes, etc.), ajoutez trois à six gouttes d'une de ces huiles essentielles : citron, orange, pamplemousse, mandarine. Pour les huiles essentielles comme le gingembre, la bergamote et la menthe, réduisez l'apport à une ou deux gouttes.

Sorbet au géranium : Dans la préparation de votre sorbet au citron, ajoutez cinq gouttes d'huile essentielle de géranium. Le sorbet au géranium est un mets très apprécié en Indonésie et en Nouvelle-Zélande.

Pouding au riz : Ajoutez une huile essentielle de votre choix à votre pouding au riz habituel. Elle rehaussera le goût traditionnel de votre dessert.

Mousse au chocolat : Ajoutez une goutte d'huile essentielle de menthe, de lime, de mandarine, de citron ou d'orange à votre mélange de mousse. Vous découvrirez une touche fruitée qui se marie à merveille avec le chocolat.

Les jus de légumes

Frais, servis en apéritifs ou lors d'une cure, les jus de légumes apportent les vitamines, les oligo-éléments et les sels minéraux nécessaires à la vitalité de l'organisme. Les légumes crus servis sous forme de jus facilitent la digestion. Lorsqu'on y ajoute quelques gouttes d'huiles essentielles, leurs qualités s'en trouvent rehaussées. Un simple jus de légumes deviendra une véritable fête pour les papilles gustatives !

Jus de concombre et tomates : Pour un litre de jus frais, confectionné à partir d'un concombre et de quelques tomates (hachées et réduites en purée), ajoutez le jus d'un citron et deux gouttes d'huile essentielle de basilic. Si votre jus est trop concentré, vous pouvez le diluer avec un peu d'eau distillée.

Jus de carottes et céleri: Hachez quelques carottes et branches de céleri que vous réduirez par la suite en purée. Pour un litre de jus frais, ajoutez le jus d'un citron, une goutte d'huile essentielle de sarriette et une goutte d'huile essentielle de romarin. Ce jus est un véritable tonique pour le foie.

Les jus de fruits frais

Vous pouvez créer facilement votre propre jus de fruits en utilisant des fruits qui sont à votre portée, préférablement de saison. Il suffit de déposer les fruits coupés dans un malaxeur ou encore de les presser à la main. Qu'il s'agisse de pommes, de poires, de melons, de nectarines, d'abricots, de cerises, de fraises, d'ananas, de framboises, de prunes ou de mangues, une variété presque infinie de mélanges s'offre à vous. Votre imagination est le premier ingrédient de votre réussite! Pour un litre de jus frais, vous n'avez qu'à ajouter, au goût, une des huiles essentielles suivantes (une goutte suffit): cannelle, bergamote, citron, menthe, gingembre (tonique) ou orange (calmante).

Les cocktails et les liqueurs

Dans votre digestif préféré, vous pouvez ajouter deux à trois gouttes d'huile essentielle de menthe dissoute dans une cuillère à soupe de fructose ou de miel pour obtenir un goût rafraîchissant. La même portion d'huile essentielle de gingembre dissoute elle aussi dans du miel est aphrodisiaque et parfait pour les cocktails exotiques. Pourquoi ne pas confectionner vos propres glaçons douceur? Il suffit d'ajouter à votre eau destinée à la congélation quelques gouttes d'huile essentielle de bergamote mélangée préalablement à du miel ou de la fructose.

Confection maison de vos liqueurs

Réservez un demi-litre d'alcool blanc à 80 % environ dans une bouteille pouvant contenir un peu plus d'un litre. Faites fondre une demi-tasse de sucre dans 500 mL d'eau chaude. Brassez jusqu'à la dissolution complète du sucre et laissez refroidir. Versez ensuite dans votre alcool. Ajoutez-y 50 à 100 gouttes d'une huile essentielle de votre choix.

Liqueur de menthe : 100 gouttes d'huile essentielle de menthe.

Liqueur de romarin : 100 gouttes d'huile essentielle de romarin.

Liqueur aphrodisiaque : 10 gouttes d'huile essentielle de cannelle, 5 gouttes d'huile essentielle de gingembre, ou 20 gouttes d'huile essentielle de romarin et 5 gouttes d'huile essentielle de sarriette, ou encore 2 gouttes d'huile essentielle de girofle et 5 gouttes d'huile essentielle de muscade.

Liqueur digestive : 20 gouttes d'huile essentielle de carvi et 5 gouttes d'huile essentielle de cumin, ou 5 gouttes d'huile essentielle de géranium et 10 gouttes d'huile essentielle de coriandre.

X

Les parfums à base d'huiles essentielles

Les parfums vendus dans les grands magasins, les boutiques ou les parfumeries sont souvent onéreux. Pourtant, les ingrédients qui composent un parfum ne forment que 10 % du prix total. Le reste est en réalité votre contribution personnelle à la publicité entourant le parfum, à la bouteille, au profit de vente et aux taxes. En fabriquant vous-même votre propre parfum avec des huiles essentielles, vous sauverez beaucoup d'argent et vous pourrez même en profiter pour acheter des huiles exotiques. De plus, vous serez assuré d'obtenir des produits purs, puisque la plupart des parfums que l'on retrouve sur le marché contiennent des ingrédients synthétiques. Utiliser des huiles pures s'avérerait pour eux, et pour le client, beaucoup trop dispendieux !

La puissance d'un parfum se calcule selon le taux d'alcool, d'eau et d'huile essentielle qui le compose. En voici un tableau simplifié :

Produit	% d'huile essentielle	% d'alcool
Parfum	15 à 30 %	90 à 95 %
Eau de parfum	8 à 15 %	80 à 90 %
Eau de toilette	4 à 8 %	80 à 90 %
Eau de cologne	3 à 5 %	70 %
Splash	1 à 3 %	80 %

Les parfums ou autres produits en découlant contiennent habituellement 5 % d'eau ajoutée au mélange. Pour la confection de votre parfum, il est recommandé d'utiliser un alcool qui sera le plus pur possible. À cet effet, la vodka est un excellent choix. Vous aurez besoin de bouteilles vides préalablement stérilisées et une fiche pour y inscrire votre recette. Vous pourrez ensuite vous y reporter, le cas échéant, afin de reproduire votre parfum préféré à base d'huiles essentielles.

La préparation de votre parfum comporte quelques étapes à suivre. Choisissez d'abord la force que vous désirez (parfum, eau de parfum, eau de toilette, eau de cologne, splash), puis tenez compte du pourcentage convenant à chacun (voir tableau, page 121). Pour le choix des huiles essentielles qui constitueront votre parfum, allez-y de façon personnelle. Les goûts sont différents pour chaque personne !

Lorsque vous créez un parfum, établissez d'abord votre note féminine, c'est elle qui prévaudra sur le reste des ingrédients. Il existe trois types de notes : la note de base, la note de cœur et la note de tête. Vous pouvez utiliser la même huile essentielle pour toutes les notes ou établir un léger changement entre elles. C'est ce qui délimitera l'odeur de votre parfum. Versez dans votre bouteille les huiles essentielles et l'alcool en vous reportant au tableau des pourcentages requis. Refermez ensuite la bouteille et secouez délicatement. Laissez reposer le tout de quatre à six semaines. C'est à ce moment que vous ajouterez votre eau distillée (5 % du volume environ) et filtrerez votre mélange en le versant dans un filtre à café. Votre parfum sera alors prêt.

Voici les huiles essentielles qui composent les notes féminines, ingrédients aromatiques de votre parfum (vous en choisissez une ou plusieurs dans chaque catégorie).

La note de base : C'est la fragrance qui demeure le plus longtemps sur votre peau. Elle est plus concentrée. En parfumerie, la note de base est faite le plus souvent à partir des arbres, des plantes et des racines. Les huiles essentielles qui la constituent sont : benzoin, cèdre, cannelle, héliotrope, myrrhe, patchouli, bois de santal, vanille ou vétiver.

La note de cœur : Comme son nom l'indique, c'est une fragrance douce comme le cœur. On la compose habituellement d'ingrédients qui ont une odeur fleurie. On prendra ces huiles essentielles pour la note de cœur : cassia, sauge sclarée, girofle, géranium, gingembre, hyacinthe, jasmin, jonquille, verveine, marjolaine, orchidée, rose, palma rosa, pin, bois de rose, thym, mimosa, narcisse, néroli, violette, ylang-ylang.

La note de tête : C'est l'odeur que l'on sent en tout premier lieu. Elle nous attire à cause de son cachet fruité : cassis, sauge sclarée, angélique, anis, basilic, bergamote, camomille, coriandre, cumin, estragon, genièvre, citron, lime, mandarine, néroli, menthe.

Voici quelques exemples de recettes pour une eau de parfum que vous pouvez confectionner :

Formule n⁰ 1

10 gouttes d'huile essentielle de bergamote
2 gouttes d'huile essentielle de romarin
10 gouttes d'huile essentielle de citron
20 gouttes d'huile essentielle d'orange
2 gouttes d'huile essentielle de néroli

Formule n⁰ 2

4 gouttes d'huile essentielle de rose
2 gouttes d'huile essentielle de citron
2 gouttes d'huile essentielle d'orange
1 goutte d'huile essentielle de basilic
1 goutte d'huile essentielle de néroli
1 goutte d'huile essentielle de petit-grain
2 gouttes d'huile essentielle de bergamote

Formule n⁰ 3

10 gouttes d'huile essentielle de palma rosa
8 gouttes d'huile essentielle d'orange
3 gouttes d'huile essentielle de petit-grain
2 gouttes d'huile essentielle de lime
1 goutte d'huile essentielle de géranium

Pour chacune des formules, versez les huiles essentielles dans deux onces et demie de vodka 100 % pure. Fermez la bouteille et secouez légèrement. Laissez reposer 48 heures. Ajoutez ensuite deux cuillères à soupe d'eau distillée et réservez le mélange pour encore quatre semaines. Filtrez ensuite le mélange à l'aide d'un filtre à café.

Voici quelques exemples de parfums réputés et leurs principaux ingrédients. Nous ne connaissons cependant pas encore la proportion de chaque essence qui les composent. Ceci fait encore partie de leur secret et de leur réussite!

Chamade de Guerlain (parfum sucré)

Vétiver, bois de santal, benzoin, vanille, balsam de Peru, balsam de Tolu

Femme de Rocher (parfum sucré, floral et épicé)

Jasmin, rose du Maroc, ylang-ylang, racine d'Orris, carnation, tuberose

Shalimar de Guerlain (parfum citronné)
Citron, bergamote, mandarine, bois de rose

Bal à Versailles de Despres (parfum frais)
Bergamote, citron, mandarine, néroli

Opium d'Yves St Laurent
Orange, carnation, rose, ylang-ylang, cannelle, jasmin, racine d'Orris, benzoin, patchouli

Chanel N⁰ 5
Bergamote, citron, néroli, jasmin, rose, racine d'Orris, ylang-ylang, vétiver, cèdre, vanille

Kouros d'Yves St Laurent
Sauge sclarée, orange, jasmin, basilic, géranium

Tuscani d'Aramis
Lavande, citron, petit-grain, bergamote, anis, lime, mandarine

Paco Rabanne
Laurier, bergamote, lavande, romarin, petit-grain, sauge sclarée, carnation, géranium, bois de rose, cannelle, pin, cèdre

Aramis
Orange, bergamote, citron, carnation, cannelle, rose, jasmin, ylang-ylang, patchouli, bois de santal, vanille, benzoin

Georgio
Orange, bergamote, carnation, cannelle, patchouli, racine d'Orris, rose, cèdre, benzoin, vanille

XI

Précautions de base

— **Ne pas utiliser ces huiles essentielles pour les cas d'épilepsie** : Hysope et sauge.

— **Ne pas utiliser ces huiles essentielles pendant la grossesse** : Arnica, basilic, cèdre, sauge sclarée, cyprès, jasmin, genièvre, marjolaine, menthe, romarin, thym. (La lavande et la rose ne devraient pas être utilisées les quatre premiers mois, mais après, elles sont sans danger en petites doses.)

— **Ne pas utiliser ces huiles essentielles pour les cas de haute pression** : Hysope, romarin, sauge, thym.

— **Ne pas utiliser ces huiles essentielles si une exposition au soleil est prévue** : Angélique, bergamote, cumin, citron, lime, orange, verveine.

— **Les huiles essentielles irritantes pour la peau** : Basilic, citron, verveine, mélisse, menthe, thym, ti-tree. Ces huiles peuvent être irritantes pour la peau si elles sont utilisées pour un bain. Il suffit de diluer 3 à 4 gouttes d'huile essentielle dans 30 mL d'huile d'amande douce ou de germe de blé.

XII

Liste des propriétés majeures et leurs huiles essentielles correspondantes

Analgésique (réduit la sensibilité à la douleur) : bergamote, camomille, lavande, marjolaine, romarin.

Anti-aphrodisiaque (réduit les pulsions sexuelles) : marjolaine.

Antibiotique (combat l'infection) : ail, citron, niaouli, origan, ti-tree.

Antidépresseur : bergamote, bois de santal, camomille, géranium, jasmin, lavande, néroli, orange, petit-grain, ylang-ylang.

Anti-inflammatoire : bergamote, camomille, lavande.

Antiseptique (prévient les infections) : bergamote, citron, eucalyptus, genièvre, lavande, origan, romarin, ti-tree.

Antiviral (agit contre les virus) : citron, lavande, origan, ti-tree.

Aphrodisiaque (anime les pulsions sexuelles) : bois de rose, bois de santal, jasmin, néroli, rose, sauge sclarée, ylang-ylang.

Astringeant (resserre les tissus et diminue les sécrétions): bois de santal, cèdre, cyprès, genièvre, rose.

Bactéricide (tue les bactéries): bergamote, cajeput, eucalyptus, genièvre, lavande, niaouli, romarin, ti-tree.

Céphalique (relatif à la tête, stimulant): basilic, romarin.

Cholalogue (facilite l'écoulement de la bile): camomille, lavande, menthe, romarin.

Déodorant: bergamote, bois de rose, cyprès, eucalyptus, lavande, néroli, petit-grain, sauge sclarée.

Désintoxiquant (nettoie le corps des impuretés et des toxines): citron, genièvre.

Diurétique (stimule la sécrétion d'urine et élimine le liquide): bois de santal, camomille, cèdre, cyprès, genièvre, géranium, romarin.

Emménagogue (régularise les menstruations): basilic, camomille, genièvre, lavande, marjolaine, romarin, sauge sclarée.

Expectorant (aide à expulser le mucus): bergamote, bois de santal, eucalyptus, marjolaine.

Fébrifuge (fait tomber la fièvre): bergamote, camomille, eucalyptus, menthe, ti-tree.

Fongicide (tue les champignons et les levures internes): lavande, ti-tree.

Hépatique (relatif au foie): camomille, citron, cyprès, menthe, romarin, thym.

Hypertensif (augmente la pression sanguine): hysope, romarin, sauge sclarée.

Hypnotique (provoque le sommeil): camomille, lavande, marjolaine, néroli, ylang-ylang.

Hypotenseur (baisse la pression sanguine) : lavande, marjolaine, ylang-ylang.

Immuno-stimulant (provoque une réaction immunitaire) : lavande, ti-tree.

Nervin (a une action positive sur le système nerveux) : camomille, lavande, marjolaine, romarin.

Sédatif (agit contre la douleur) : bergamote, bois de rose, bois de santal, genièvre, lavande, marjolaine, néroli, rose, sauge sclarée.

Stimulant : eucalyptus, géranium, menthe, romarin.

Utérin (tonique pour l'utérus) : jasmin, rose, sauge sclarée.

Vasoconstricteur (diminue le calibre des vaisseaux sanguins) : camomille, cyprès, rose.

Vasodilatateur (augmente le calibre des vaisseaux sanguins) : marjolaine.

XIII

Les huiles essentielles et les émotions

En plus de traiter efficacement les maladies, les maux et les petits problèmes physiques de tous les jours, les huiles essentielles sont bénéfiques sur le plan émotionnel. Vous trouverez ici tout ce qu'il faut savoir pour utiliser leur potentiel au maximum. Car lorsque l'aspect psychologique est traité avec soin et attention, l'aspect physique s'en réjouit tout naturellement !

1. L'émotion ressentie et l'huile essentielle à prendre

Anxiété : bergamote, citron, mélisse.
Apathie (sans volonté et sans énergie) : patchouli.
Calme (manque de) : bois de santal, verveine.
Colère (pour la calmer) : camomille, ylang-ylang.
Colère (pour l'exprimer) : romarin.
Dépression : bergamote, jasmin, sauge sclarée.
Deuil : cyprès.
État insomniaque : marjolaine, néroli.
État léthargique : pin.
État suicidaire : sauge sclarée.
Faible estime de soi : rose.

Panique, peur : géranium, genièvre.
Protection psychique : encens.
Stress (physique) : lavande.
Stress (psychologique) : basilic, citron, néroli.
Stress (problèmes de digestion) : anis, menthe.
Tristesse, souffrance : rose, ylang-ylang.
Tristesse, souffrance (enfants) : mandarine, menthe, orange.

2. Pour traiter les émotions

Il est très facile de préparer soi-même le mélange destiné au traitement des émotions. Il faut tout d'abord se poser ces questions :

1. Pour quel(s) type(s) d'émotion(s) s'adresse le mélange ?

2. De quelle(s) manière(s) compte-t-on l'utiliser (en massage, en bain, en usage interne, etc.) ?

3. Quelles huiles essentielles s'harmonisent avec la personnalité de la personne qui va les utiliser ?

Pour commencer, il faut préparer les éléments qui permettront de faire le mélange, afin de les avoir à portée de la main :

MATÉRIEL NÉCESSAIRE

Une bouteille
Des papiers mouchoirs
Des huiles essentielles
Un solvant naturel (huile d'amande douce, de germe de blé, hydrosol ou alcool)
Un compte-gouttes
Une étiquette et un crayon

Faites ensuite la liste des huiles essentielle choisies pour le mélange. Les huiles essentielles peuvent être utilisées seules (pour traiter une seule émotion) ou en synergie (pour traiter plusieurs émotions simultanément). Pour chaque mélange, n'utilisez pas plus de cinq huiles essentielles à la fois. Il faut toujours mélanger les huiles essentielles ensemble avant de les incorporer au solvant. Les proportions sont d'environ 5 à 6 gouttes d'huile essentielle au total pour 25 mL de solvant naturel. Ce qui veut dire qu'environ une goutte suffit pour un mélange de cinq huiles essentielles. Si vous utilisez une seule huile essentielle, vous pouvez alors déposer cinq gouttes dans votre solvant. Lorsque vous prenez 2 à 3 huiles essentielles, déposez 2 à 3 gouttes de chacune et 4 à 5 huiles, une goutte de chacune, toujours dans 25 mL de solvant.

3. Quelques exemples de mélanges pour différents besoins

Pour nettoyer une nouvelle maison : Ce mélange nettoiera les vieilles énergies des anciens occupants ou enlèvera toute trace d'énergie négative. Utilisez les huiles essentielles de genièvre, de pin, de romarin, d'eucalyptus et de sauge.

Pour redonner une bonne énergie à la maison : Les huiles essentielles de bergamote, de cèdre, de lavande, d'orange, de néroli, de rose et de bois de santal seront idéales si elles sont diffusées dans l'atmosphère.

Bain énergisant : Les huiles essentielles de citron, de géranium, de genièvre, de romarin et de basilic.

Bain relaxant : Les huiles essentielles de bergamote, de camomille, de lavande, de marjolaine et de sauge sclarée.

Bain antidépressif : Les huiles essentielles de bergamote, de bois de santal, de sauge sclarée et de ylang-ylang. En période de deuil : à diffuser dans l'air, deux gouttes de mélisse, une goutte de cyprès, sept gouttes de mandarine, six gouttes de bois de santal, cinq gouttes de rose et deux gouttes de ylang-ylang.

4. Les qualités émotionnelles des huiles essentielles

Bergamote : Cette huile essentielle est très bénéfique si vous l'utilisez en période de deuil ou de séparation. Elle aide à recevoir l'amour à nouveau.

Camomille : Elle calme et rassure. Elle aide également à communiquer efficacement sans se fâcher. Elle s'adresse aussi aux gens qui ne peuvent jamais dire non, puisqu'elle aide à s'affirmer.

Cèdre : Elle aide à clarifier les idées et à remettre en ordre les émotions confuses.

Cyprès : C'est une huile essentielle à prendre pendant les périodes de transition, comme les déménagements, la prise de décisions importantes, la fin d'une relation amoureuse, la perte ou le deuil.

Eucalyptus : Elle nettoie les mauvaises énergies. Elle est encore plus efficace si vous l'utilisez avec la lavande et la bergamote.

Genièvre : Elle aide à créer des liens avec les gens.

Jasmin : Elle aide le développement spirituel, créatif et sexuel.

Lavande : C'est une huile essentielle très calmante, rééquilibrante, harmonieuse. Elle aide à intégrer la spiritualité dans notre vie de tous les jours.

Mandarine : Elle aide à retrouver l'enfant en nous.

Marjolaine : Elle diminue le désir sexuel ; elle est bonne lors d'une séparation, de pertes ou d'un deuil. Elle aide à apprivoiser la solitude sans souffrance. Ne l'utilisez pas à long terme, cependant.

Mélisse : Elle réconforte à la suite d'une grande émotion vécue, surtout lors d'un deuil. Elle aide à accepter les événements.

Néroli : Symbole de pureté, cette huile essentielle aide à reprendre contact avec nous-même et renforce la créativité.

Orange : Cette huile essentielle apporte de la joie dans notre vie.

Menthe : Elle s'adresse à l'ego, puisqu'elle redonne confiance aux personnes qui se sentent inférieures et stabilise les personnes trop fières d'elles-mêmes.

Petit-grain : Elle aide à prendre des décision réfléchies et permet de voir plus clair.

Pin : Énergisante, cette huile essentielle clarifie le corps et l'esprit.

Rose : C'est la fleur de l'amour. L'huile essentielle de rose est utilisée pour spiritualiser la sexualité. Elle aide à retrouver l'amour et réconforte les cœurs brisés.

Sauge sclarée : Cette huile essentielle aide à se souvenir des rêves et à découvrir leurs significations.

XIV

Guide de références

(Maladies, maux, symptômes les plus courants, qualités des huiles essentielles, soins et traitements par les huiles essentielles)

Abcès : Un abcès est un amas de pus qui se retrouve dans une partie du corps. Souvent très douloureux, les abcès superficiels ou de petites dimensions sont bénins. Au contraire, les abcès profonds, qui se retrouvent près d'un organe important, sont extrêmement dangereux. Le traitement sous forme de compresse soulage rapidement l'endroit douloureux. Une compresse d'eau chaude composée de 2 gouttes d'huile essentielle de camomille, 2 gouttes d'huile essentielle de lavande et 2 gouttes d'huile essentielle d'eucalyptus devrait être appliquée sur toute la partie sensible environ 10 minutes. Répétez toutes les 15 minutes. Si la situation ne s'améliore pas, veuillez consulter un médecin.

Acné et peau grasse : L'acné se caractérise souvent par une stimulation trop prononcée de la glande sébacée et un excès de sébum qui se retrouve dans la région du visage, du cou et des épaules. Le traitement de l'acné est souvent fort long, surtout chez les adolescents. L'huile essentielle de citron peut être très efficace si elle est appliquée directement sur le bouton, grâce à son action astringeante et antibactérienne. L'huile essentielle de bergamote, lorsque diluée avec un gel à base d'aloès, aide à guérir l'acné. L'huile essentielle de lavande est également bénéfique pour ses propriétés cicatrisantes. Elle peut être utilisée en alternance avec les autres à raison de cinq gouttes dans une crème neutre ou un gel, matin et soir. Ce traitement naturel sera d'autant plus efficace s'il est accompagné d'une bonne diète. Il faut éviter de consommer les aliments épicés, les alcools, etc. La consultation d'un ou d'une diététiste est également conseillée.

Alcoolisme : L'aromathérapie n'a pas la prétention de vouloir guérir cette maladie, puisque les causes, que l'on peut difficilement diagnostiquées, sont très profondes. Elle peut cependant être un très bon complément aux autres thérapies. Le stress, une des causes de la dépendance à l'alcool, peut être diminué à l'aide de massages aux huiles essentielles relaxantes et antidépressives. On retrouve également des huiles propices à la désintoxication du corps. Le genièvre a la qualité d'éliminer les toxines accumulées. Lorsque les toxines sont évacuées du corps, il est possible qu'une réaction vive ou une impression de faiblesse générale du corps apparaisse, puisque les toxines sont relâchées dans le sang. Cette situation ne persiste pas et fait place à un bien-être apprécié.

Allergies : Certaines personnes sont allergiques aux cosmétiques et, parfois, une certaine sensibilité peut se développer au contact des produits dits «naturels». Soyez toujours vigilant en ce qui a trait aux produits naturels, puisque ce mot est souvent utilisé à tort et à travers. Il en va de même pour les huiles essentielles : beaucoup de compagnies falsifient leurs produits pour les rendre plus accessibles à un plus grand nombre, en les vendant à des prix compétitifs. Attention : les huiles essentielles peu onéreuses cachent souvent une qualité moindre, ce qui peut avoir des conséquences allergiques sur votre peau. Seulement 15 % des huiles essentielles sur le marché sont pures.

Les enfants et les nourrissons développent souvent des allergies alimentaires, surtout pour ce qui est du lait, du sucre et du blé. Un signe d'allergie chez les enfants se voit habituellement par un nez qui coule et des yeux larmoyants. L'aromathérapie traite en douceur les allergies. Pour les allergies de la peau, faites un mélange de 5 gouttes d'huile essentielle de camomille, 5 gouttes d'huile essentielle de lavande, 5 gouttes d'huile essentielle de bois de rose dans 25 mL d'huile d'amande douce. Appliquez sur la peau ayant une réaction, quatre fois par jour.

Analgésique : Un analgésique réduit la douleur et produit une insensibilité. Habituellement, on l'applique directement sur l'endroit douloureux. La menthe agira de la même façon que la glace. Cette huile essentielle est excellente pour les foulures, les bosses, et empêchera l'enflure et la douleur. Les huiles essentielles de lavande et de camomille sont des anti-douleurs par excellence.

Anti-aphrodisiaque : Autrefois, les religieux utilisaient la marjolaine pour diminuer leurs pulsions sexuelles. Cette huile essentielle est très efficace pour les personnes qui désirent refréner leurs instincts sexuels trop « exigeants ».

Antibiotique : On utilise les antibiotiques pour combattre l'infection. Souvent utilisés en trop gran-

de quantité pour les infections mineures, les antibiotiques perdent leur efficacité lorsque le corps en
a vraiment besoin. Ils détruisent les mauvaises bactéries et parfois les bonnes qui sont nécessaires
pour combattre les infections. Puisqu'ils détruisent
les micro-organismes, il arrive parfois qu'un usage
excessif cause le *candida albingan*, qui produit des
infections vaginales. L'aromathérapie a la chance
d'avoir des huiles essentielles qui possèdent les
mêmes effets que les antibiotiques, sans toutefois
détruire les bactéries nécessaires au système immunitaire. Les huiles essentielles de niaouli, de citron
et d'origan s'avèrent excellentes pour combattre les
infections importantes.

Anxiété : Les huiles essentielles sont d'une grande
utilité pour ce genre de trouble émotionnel, souvent
incontrôlable. Un bain aromatique favorisera le
sommeil et redonnera de l'énergie au réveil. Lorsque
l'anxiété devient importante, appliquez les huiles
essentielles pures en massage sur le plexus solaire.
Ce point stratégique est le centre des émotions. Le
jasmin, la bergamote, le néroli, la lavande et le bois
de rose sont des huiles à utiliser pour diminuer les
symptômes de l'anxiété. Quinze gouttes d'une de ces
huiles dans un peu d'huile d'amande douce constituera le meilleur mélange pour le bain. Pour les
bébés et les enfants, utilisez le même mélange en
massage sur les pieds. Ils seront alors moins agités.

Aphrodisiaque : Certaines huiles essentielles ont le
mérite d'exercer sur le corps et l'imagination des
effets aphrodisiaques. Bien sûr, si vous avez le partenaire qui convient et si l'harmonie règne dans
votre couple, il se peut que vous n'ayez pas besoin
de ces huiles. Mais pendant les jeux de l'amour,
certaines huiles essentielles peuvent faire partie du

rituel amoureux. Lors d'un massage sensuel, elles contribueront à la célébration des corps et de l'amour !

Huile de massage aphrodisiaque : 10 gouttes d'huile essentielle de ylang-ylang, 5 gouttes de bois de santal, 5 gouttes de jasmin, 5 gouttes de bois de rose, diluées dans 50 mL d'huile d'amande douce ou de germe de blé. Le reste du mélange devrait être gardé dans un endroit secret pour usage ultérieur.

Arthrite : Il existe deux sortes d'arthrite : l'arthrite chronique et l'arthrite aiguë. L'arthrite aiguë commence généralement par une douleur très vive et spontanée, au niveau de la jointure malade. On constate un gonflement au niveau de l'articulation atteinte et chaque mouvement ou pression exaspère la personne qui en est atteinte. L'arthrite chronique, quant à elle, frappe surtout la hanche, mais on la rencontre également au coude, à l'épaule, aux doigts et aux pieds. Il n'existe pas encore de traitement assez efficace pour la faire disparaître. L'arthrite est causée par une mauvaise élimination de l'acide urique dans le système. Plusieurs gens éliminent mieux que d'autres leurs toxines. Le stress, l'anxiété et une mauvaise alimentation sont trois des principaux facteurs d'accumulation de toxines dans le corps. Cette accumulation d'acide urique se dépose alors sur les principales jointures, causant des inflammations, des douleurs et une perte de mobilité. Les thérapies naturelles comme l'aromathérapie et la naturopathie aident le corps à éliminer efficacement l'accumulation de toxines. À l'aide d'une meilleure alimentation et des huiles essentielles données en massage, la circulation sera mieux activée.

Asthme : Cette affection, qui consiste en des accès de suffocation, peut être causée par de nombreux éléments : les allergies, les émotions, l'exercice, le stress, la drogue ou les infections diverses. L'asthme est variable selon chaque personne, mais les attaques peuvent survenir à n'importe quel âge. Certaines huiles essentielles sont très efficaces pour calmer les crises et il est à conseiller d'avoir un mélange à portée de la main lorsqu'elles se produisent. Les huiles essentielles de marjolaine, de lavande, et de camomille peuvent être utilisées seules ou en synergie. Ces huiles ont la propriété d'être très douces mais d'une efficacité certaine. Il est très important de garder son calme lorsque les crises d'asthme ont lieu et d'inhaler le mélange d'huiles essentielles. Pour prévenir, ou encore pendant les attaques, faites un massage avec le mélange suivant, que vous garderez en réserve : 10 gouttes d'huile essentielle de lavande, 8 gouttes d'huile essentielle d'oliban (de l'anglais *frankincense*), 4 gouttes d'huile essentielle de camomille, 3 gouttes d'huile essentielle de marjolaine, diluées dans 50 mL d'huile d'amande douce.

Astringeant : Les huiles essentielles astringeantes peuvent aider à diminuer la rétention d'eau et raffermir les tissus. On utilisera à cet effet le cèdre, le cyprès, l'oliban (appelé aussi encens mâle ou *frankincense*), le genièvre, la rose et le bois de santal.

Basse pression (*voir* Hypotension)

Blessures mineures : On devrait toujours avoir de l'huile essentielle de lavande, de citron et de niaouli à portée de la main pour soigner les blessures mineures. La lavande aide à cicatriser toute plaie ou blessure, elle désinfecte et calme. Le citron arrête le sang et prévient l'infection, tandis que le niaouli devrait être utilisé si l'infection persiste.

Bronchite : Les huiles essentielles sont particulièrement bénéfiques pour les cas de bronchites. Elles peuvent être utilisées en inhalation, ce qui sera bienfaisant pour les poumons. Les propriétés antiseptiques du niaouli combattent l'infection ; l'effet expectorant de l'eucalyptus aide à expulser le mucus lorsque la respiration se fait difficile ; et les qualités relaxantes de la lavande aident à normaliser la respiration. Ces huiles sont excellentes lorsqu'elles sont diffusées dans l'atmosphère toute la journée. Si vous désirez les appliquer sur la poitrine et le dos, faites le mélange suivant : trois gouttes d'huile essentielle de lavande, deux gouttes d'huile essentielle d'eucalyptus, deux gouttes d'huile essentielle de lavande, dans un quart de tasse d'huile d'amande douce. Pour les enfants de moins de cinq ans atteints de bronchite, utilisez une goutte de chacune des huiles essentielles mentionnées précédemment et appliquez-les sur la plante des pieds. Pour les enfants de plus de cinq ans, utilisez la moitié du mélange pour un adulte.

Brûlure : L'importance d'une brûlure dépend de la profondeur du tissu brûlé et du volume de plasma perdu (liquide clair dans lequel les cellules du sang sont en suspension). Les brûlures au premier degré touchent seulement l'épiderme (la partie que l'on voit et touche). Les brûlures au deuxième degré affectent le derme, qui est la partie la plus profonde de la peau. Les brûlures au troisième degré, quant à elles, détruisent toute surface de peau et de capillaires. Ces dernières ne peuvent être traitées par l'aromathérapie ; il faut consulter un médecin immédiatement. Pour les brûlures mineures, cependant, il est possible de les soigner facilement à la maison. Il est important d'asperger immédiatement d'eau très froide la partie brûlée et d'y appliquer ensuite une compresse d'eau froide. Cela prévient une exposition du membre à l'air et les bactéries. N'appliquez jamais de crèmes ou de matières grasses sur une brûlure : cela causerait une infection inévitable. Appliquez plutôt de l'huile essentielle de lavande pure sur la plaie le plus rapidement possible. Cette huile préviendra la formation de gales et aidera la cicatrisation des tissus endommagés. La lavande a également la propriété de calmer la douleur. S'il y a apparition d'enflure, préparez un récipient d'eau froide contenant quelques cubes de glace. Ajoutez-y trois gouttes d'huile essentielle de camomille. Rincez au préalable la plaie et appliquez une compresse sur la partie brûlée. Si l'infection se développe, utilisez l'huile essentielle de niaouli, toujours sous forme de compresse.

Candida albingan : Cette infection est provoquée par des champignons ou des levures parasites qui résident dans le système digestif (surtout au niveau de l'intestin). La prise de médicaments, la maladie et le stress sont des facteurs qui peuvent développer cette infection. Dans les cas les plus graves, elle se répand très rapidement dans le sang, affectant souvent le système immunitaire et les autres organes. L'aromathérapie traite efficacement les infections dites « fongiques », lorsqu'elle est utilisée avec d'autres soins, herbes, diètes et vitamines. Les huiles essentielles sont efficaces dans les cas d'infections externes, surtout en bain et en compresse. La lavande et le ti-tree sont les huiles à utiliser puisqu'elles ont la propriété d'être antifongiques, c'est-à-dire qu'elles luttent contre les infections provoquées par les champignons et les levures parasites.

Cellulite : La cellulite est une inflammation du tissu cellulaire sous-cutané qui produit notamment un gonflement de la peau (qu'on appelle souvent «culotte de cheval») qui prend un aspect capitonné et piqueté (qu'on appelle aussi «peau d'orange»). Cette accumulation de toxines, de graisse et d'eau se voit la plupart du temps dans la région des cuisses et des fesses. La majorité des femmes doivent vivre avec ce problème mineur. Le traitement de la cellulite se fait par une désintoxication de la peau, une bonne alimentation et de l'exercice pour favoriser la circulation. Ce programme complet est idéal avec les huiles essentielles. Le cyprès et le genièvre ont la qualité d'être diurétiques, ce qui aide à éliminer la rétention d'eau qui se forme dans les régions des fesses, des cuisses et du ventre. En bain ou en massage, un mélange d'environ 10 gouttes de ces huiles essentielles dans un quart de tasse d'huile d'amande douce contribueront à alléger la formation de cellulite.

Cheveux : Les cheveux contiennent de la kératine, une protéine imperméable qui est une substance fondamentale des ongles et des poils. La beauté d'un cheveu réside dans la santé de son cuir chevelu. Un cuir chevelu trop sec amène des pellicules. Celles-ci peuvent être traitées avec des huiles essentielles de bergamote et de lavande. Il suffit de diluer cinq gouttes de chacune de ces huiles dans un quart de tasse d'huile d'amande douce et de masser le cuir chevelu avec ce mélange. Laissez agir le traitement une à deux heures en enveloppant la tête d'une serviette d'eau chaude. Rincez ensuite à l'eau tiède et faites votre shampoing comme à l'habitude. Ce traitement réhydratera et revitalisera vos cheveux.

Circulation : Les huiles essentielles favorisent la circulation sanguine lorsqu'elles sont appliquées sous forme de massage. La peau les absorbe facilement et elles se dirigent directement vers l'organe qui en a besoin. Le massage s'est toujours avéré un excellent stimulant circulatoire ; ses propriétés bénéfiques prendront encore plus d'importance si vous utilisez les huiles essentielles comme base thérapeutique.

Colique : Cette violente douleur abdominale perturbe souvent le nourrisson pendant les premiers mois de sa vie. Un massage doux sur l'abdomen du bébé avec un mélange d'huiles essentielles contribuera à calmer la douleur. Diluez une goutte d'huile essentielle de bergamote et une goutte d'huile essentielle de lavande dans une cuillère à café d'huile d'amande douce. Massez dans le sens des aiguilles d'une montre. Également, une compresse d'eau chaude sur laquelle vous aurez ajouté une goutte de lavande et une goutte de camomille sera très efficace si vous l'appliquez sur le ventre du bébé. Il est important de ne jamais dépasser deux gouttes d'huiles essentielles pour le bébé.

Compresse : Les compresses soulagent les douleurs, les enflures et les crampes. Les compresses chaudes visent à soulager la douleur, tandis que les compresses froides réduisent l'inflammation et la fièvre. La meilleure façon de faire une compresse est de remplir un récipient d'eau chaude ou froide dans lequel vous versez cinq à six gouttes d'huiles essentielles. Trempez ensuite une petite serviette plusieurs fois dans l'eau pour l'imbiber complètement. Couvrez la partie sensible avec la serviette mouillée et entourez ensuite d'un sac de plastique pour garder la chaleur et l'humidité. Changez la serviette au besoin.

Constipation : La constipation est généralement causée par une mauvaise alimentation et le stress. La grossesse et les menstruations sont également parfois génératrices de constipation. Aussi, le fer prescrit en médicament est difficilement assimilé par l'organisme, ce qui cause inévitablement la constipation. Il est très important, lors de la grossesse, d'évacuer quotidiennement toutes les toxines accumulées dans le corps. On conseille de boire beaucoup d'eau, des jus de fruits et de légumes frais, de manger des fibres, des figues et des prunes. Tous les laxatifs chimiques devraient être évités. Les huiles essentielles de marjolaine, de romarin et de patchouli sont très efficaces pour enrayer la constipation. Il suffit de les appliquer en massage ou en compresse sur l'abdomen. Pour un massage : deux gouttes d'huile essentielle de marjolaine, deux gouttes d'huile essentielle de romarin et une goutte d'huile essentielle de patchouli diluées dans un quart de tasse d'huile d'amande douce. Ou encore, deux gouttes de romarin, deux gouttes de patchouli et une goutte de genièvre, toujours dans un quart de tasse d'huile d'amande douce. Cette même proportion de gouttes pourra être ajoutée à de l'eau si vous désirez faire une compresse. Pour les femmes enceintes, massez le bas du dos avec deux gouttes d'huile essentielle de bois de rose, deux gouttes d'huile essentielle de néroli et une goutte d'huile essentielle de patchouli.

Contractions : Durant l'accouchement, il est très important d'accompagner moralement la future mère en lui prodiguant tout le réconfort et les soins dont elle a besoin. Le massage est très bénéfique lorsqu'il est guidé par elle, pour obtenir le meilleur degré de pression et la meilleure focalisation possible. Le massage du bas du dos calme la douleur. Les huiles essentielles les plus efficaces à utiliser sont le jasmin, le néroli, la sauge et la lavande. Elles peuvent être combinées ou employées seules. Le sens de l'odorat étant particulièrement développé lors de l'accouchement, il est très important de choisir l'arôme qui convient le mieux. L'odeur qui se dégagera des huiles essentielles formera une atmosphère paisible, ce qui facilitera l'arrivée du bébé. Il est même possible que les huiles essentielles soient suffisantes et que la mère n'ait pas besoin d'avoir recours aux drogues calmantes pour réduire les douleurs provoquées par les contractions. Bon nombre de sages-femmes utilisent les huiles essentielles pour faciliter l'accouchement. Les huiles essentielles de rose, de jasmin et de géranium, en plus des huiles mentionnées précédemment, ont une action positive sur le muscle utérin, ce qui aide à expulser le placenta après l'accouchement. Elles s'avèrent également efficaces pour la dépression qui accompagne souvent la naissance de l'enfant. Les bains aromatiques avec ces huiles essentielles aideront à relaxer avant, pendant et après l'accouchement.

Coup de soleil : Les coups de soleil devraient être traités comme une brûlure. L'huile essentielle de camomille aidera à apaiser et à refroidir la brûlure. Le soulagement le plus rapide et le plus efficace est de prendre un bain dans lequel vous aurez versé six à huit gouttes d'huile essentielle de camomille. Ce bain peut être répété à intervalles réguliers de quelques heures jusqu'à ce que la sensation de brûlure disparaisse complètement. Pour les brûlures plus sévères causées par le soleil, il est conseillé d'utiliser l'huile essentielle de lavande. C'est l'huile de choix pour les brûlures, puisqu'elle a la propriété d'être calmante et cicatrisante. Elle peut d'ailleurs être utilisée pure sur la brûlure.

Crampes : Les crampes surviennent généralement à cause d'un manque de vitamines et de minéraux, surtout de calcium et de sodium. Nous sommes tous sujets aux crampes et il est très fréquent d'en avoir pendant la grossesse, à cause de la position du bébé. Pour prévenir et soulager les crampes, les huiles essentielles peuvent être utilisées lors d'un massage. Ajoutez 6 gouttes d'huile essentielle de lavande, 6 gouttes d'huile essentielle de géranium, 3 gouttes d'huile essentielle de cyprès à 30 mL d'huile d'amande douce. Une autre huile de massage efficace peut se composer de 6 gouttes d'huile essentielle de camomille, 6 gouttes d'huile essentielle de marjolaine, 3 gouttes d'huile essentielle de cyprès dans 30 mL d'huile d'amande douce. Pour les femmes enceintes, un mélange de 6 gouttes d'huile essentielle de camomille, 2 gouttes d'huile essentielle de géranium, diluées dans 30 mL d'huile d'amande douce réduira considérablement les risques de crampes.

Cystite : La cystite est une inflammation de la vessie généralement provoquée par des germes et des bactéries qui s'y sont accumulé. Les symptômes apparaissent habituellement par une sensation de brûlure au moment d'uriner et des problèmes urinaires. Des douleurs dans le bas de l'abdomen peuvent également se faire sentir. Lorsqu'un de ces symptômes survient, il est important de consulter un médecin dans les plus brefs délais puisque la situation peut s'aggraver rapidement. Il est très important de boire beaucoup de liquide, en particulier du jus de canneberge puisqu'il rééquilibre l'alcalinité. Les huiles essentielles utilisées en compresse chaude sont très bénéfiques lorsqu'elles sont appliquées directement sur l'abdomen. Les massages sont aussi d'une efficacité certaine pour aider à relaxer et à éliminer les mauvaises bactéries. Faites le mélange suivant pour une compresse chaude sur l'abdomen : deux gouttes d'huile essentielle de camomille, deux gouttes d'huile essentielle de lavande ou de bergamote, deux gouttes de bois de santal dans un récipient rempli d'eau chaude. Pour un bain, utilisez les mêmes proportions de ces huiles diluées dans un peu d'huile d'amande douce. **Note importante** : dès le début de la cystite, déposez une goutte d'huile essentielle de bois de santal pure dans le nombril. Répétez trois fois par jour.

Déodorant : Certaines huiles essentielles comme la bergamote, la sauge, le cyprès, l'eucalyptus, la lavande et le bois de rose aident à diminuer ou suppriment les odeurs corporelles causées par la transpiration. Ces huiles peuvent être diluées dans de l'huile d'amande douce ou dissoutes dans de la poudre. Appliquez-les sur les aisselles et sur la plante des pieds pour un effet efficace.

Dépression : Dans notre société d'aujourd'hui, la dépression est malheureusement un état de plus en plus courant. Reliée à plusieurs sentiments tels que la tristesse, la perte de contrôle de soi, la colère et la frustration, elle survient souvent après un accouchement chez les femmes ou à la suite d'un choc émotif inattendu. De plus en plus, nous avons recours aux produits naturels pour traiter les maladies psychosomatiques, puisqu'un traitement choc ne s'avère pas toujours une solution adéquate au problème. Le corps et l'esprit étant en corrélation constante, la douceur et la nature sont probablement les meilleurs agents de traitement pour leur guérison. Plusieurs huiles essentielles ont la propriété d'être des antidépresseurs. Leur plus belle qualité se retrouve sans doute dans le fait qu'elles n'entraînent pas de dépendance pour la personne qui les utilise, à la différence de la plupart des médicaments prescrits pour atténuer la dépression. L'huile essentielle de bergamote est probablement la plus efficace pour la traiter. Viennent ensuite les huiles de basilic, de camomille, de citron, de sauge, de géranium, de jasmin, de lavande, de néroli, de patchouli, de bois de santal et de ylang-ylang. Ces huiles essentielles sont très efficaces lorsqu'elles sont utilisées sous forme de massage. Entre des traitements de massothérapie, il est excellent de prendre des bains aromatiques, en choisissant les huiles qui nous conviennent le mieux. Un mélange efficace à utiliser en massage, en bain ou en inhalation se compose de : 10 gouttes d'huile essentielle de bergamote, 5 gouttes d'huile essentielle de citron, 5 gouttes d'huile essentielle de sauge ou de géranium et 5 gouttes d'huile essentielle de ylang-ylang diluées dans 50 mL d'huile d'amande douce. Pendant la grossesse, les états dépressifs seront soulagés grâce à un mélange de 10 gouttes de bergamote, 5 gouttes de néroli, 5 gouttes de bois de rose diluées également dans 50 mL d'huile d'amande douce. En dernier lieu, une goutte d'huile essentielle de bergamote appliquée plusieurs fois par jour sur le plexus solaire soulage beaucoup.

Désinfectant atmosphérique : Les huiles essentielles sont très bénéfiques lorsqu'elles sont diffusées dans l'air pour détruire les bactéries nuisibles.

Si tout le monde utilisait un diffuseur d'huiles essentielles environ deux heures par jour, les risques de propagation d'épidémies seraient presque nuls. En garderie, la diffusion serait très efficace pour empêcher l'expansion de virus et la contamination entre les enfants. L'huile essentielle de citron, à elle seule, peut tuer toute bactérie ou virus qui se propage dans l'air en moins de quatre heures. Dans plusieurs hôpitaux en Europe, l'utilisation des huiles essentielles pour désinfecter les chambres des malades est maintenant chose courante. Les meilleures huiles essentielles à diffuser à la maison, au bureau, à la garderie ou dans la salle de conférence sont le niaouli, la bergamote, l'eucalyptus, la lavande et le citron. Ces huiles peuvent être utilisées seules ou en synergie. Elles désinfecteront votre intérieur en plus de laisser une odeur délicate et apaisante.

Diarrhée : Elle peut être causée par une intoxication, une infection, un virus, des bactéries, une mauvaise alimentation ou un stress incontrôlable. Lorsqu'on souffre de diarrhée, il est important de ne pas se déshydrater. C'est pourquoi on conseille de boire beaucoup d'eau, d'éliminer pour un certain temps les produits laitiers et la nourriture solide et, surtout, de prendre du repos. Afin de refaire la flore bactérienne du corps, prenez des bactéries lactiques, qui sont disponibles dans les magasins d'aliments naturels. Des compresses à base d'huiles essentielles combattront efficacement la diarrhée. Dans un récipient d'eau chaude, versez deux gouttes d'huile essentielle de camomille et trois gouttes d'huile essentielle de néroli ou d'orange. Vous pouvez faire une variation en versant deux gouttes d'huile essentielle de lavande et trois gouttes d'huile essentielle de bois de rose, pour un traitement tout aussi efficace. Appliquez en compresse sur l'abdomen. Aussi, une goutte d'huile essentielle de cannelle dans le nombril, deux fois par jour, aidera grandement à diminuer la diarrhée. L'huile essentielle de cannelle diluée sera également efficace en massage dans le bas du dos.

Diurétique : Un diurétique accroît l'élimination des fluides du corps et aide à éliminer les toxines du même coup. En fait, il stimule la sécrétion de l'urine. Les huiles essentielles ayant des propriétés diurétiques sont le genièvre, le bois de santal, le romarin et le géranium. La meilleure utilisation de ces huiles consiste à prendre un bain avec un mélange de 10 gouttes au choix versées dans l'eau et préalablement diluées dans un solvant naturel, ou encore en massage, à raison de 25 gouttes d'huile essentielle dans 50 mL d'huile d'amande douce ou de germe de blé.

Ecchymose : Cet épanchement de sang dans l'épaisseur de la peau doit être traité rapidement pour éviter qu'il ne s'aggrave. Pour cela, il suffit d'appliquer du froid directement sur l'endroit touché tout de suite après le coup. Il est excellent d'utiliser les huiles essentielles de lavande et de cannelle en application pure pour leurs effets anti-inflammatoires et cicatrisants.

Eczéma : Cette inflammation de la peau peut être héréditaire, causée par le stress ou les allergies alimentaires (les produits laitiers et le blé, par exemple). Les symptômes apparaissent souvent à la suite d'une période émotive difficile à traverser, à de la fatigue accumulée ou à un excédent de stress. Il est conseillé de cesser de consommer de la viande rouge et des produits laitiers pendant le temps que dure l'eczéma. Substituez-les par du poisson, du poulet et des noix. Tous les jours, appliquez sur la plaie infectée trois gouttes d'huile essentielle de camomille diluée dans un peu d'huile d'amande douce. Si l'eczéma est très sec, appliquez sur la peau un mélange de deux gouttes d'huile essentielle de lavande et une goutte d'huile essentielle de géranium dans un peu d'huile de germe de blé.

Endocrine : Ces glandes telles que la thyroïde et l'hypophyse sont nos propres anti-douleurs naturels, puisqu'elles déversent le produit de leurs sécrétions directement dans le sang lorsque celui-ci en a besoin. Certaines huiles essentielles aident à produire ces sécrétions. On retrouve parmi ces huiles le bois de santal, la bergamote, le basilic et l'orange.

Entorse : Le traitement le plus efficace pour soulager les entorses se fait à l'aide de compresses froides. Une entorse ne devrait jamais être massée. L'argile verte est très efficace avec quelques gouttes (environ cinq) d'huile essentielle de lavande et de camomille. Ces ingrédients serviront à éviter l'enflure et calmera la douleur. Appliquez l'argile et les huiles essentielles sur un linge propre et entourez-le autour de la foulure. Une bande élastique tiendra bien en place la compresse. Laissez agir plusieurs heures pour un soulagement total.

Épidémie : Depuis l'Antiquité, les plantes aromatiques ont été utilisées pour combattre l'étendue des épidémies. Les gens qui travaillaient aux champs à cette époque, lors de la récolte des herbes et des plantes aromatiques, n'étaient pas touchés par les virus épidémiques, tandis que tous les autres en étaient atteints. Lorsqu'elles sont diffusées dans l'atmosphère, les huiles essentielles sont d'une efficacité certaine pour prévenir et protéger la maison contre tout virus. Également, si vous êtes en contact avec des gens malades, vous pouvez garder à portée de la main un mouchoir imbibé de quelques gouttes d'huiles essentielles et le respirer plusieurs fois pendant la journée. Les meilleures huiles essentielles en temps d'épidémie sont l'eucalyptus, le citron, le girofle, la lavande, le thym et l'origan. Il est possible d'utiliser plusieurs de ces huiles ensemble, ou une seule à la fois peut suffire. Si vous êtes à proximité d'une personne malade à la maison, il est très important de diffuser une ou plusieurs de ces huiles à l'aide d'un diffuseur, et ce, pour prévenir la contamination chez les autres membres de la famille. Ces huiles essentielles sont excellentes également lorsqu'elles sont diffusées dans le milieu de travail, à la garderie, à l'école et dans tous les endroits publics.

Épisiotomie : L'épisiotomie est une incision de la vulve et des muscles du périnée, pratiquée pour faciliter certains accouchements. On pratique ce type d'incision pour éviter les déchirures des tissus, pour accélérer l'accouchement lorsque le bébé est en danger, ou encore pour faciliter la sortie du crâne encore fragile et résistant mal aux muscles du vagin pour ce qui est des accouchements prématurés. On l'utilise également lorsque la présence des forceps est inévitable. Il est possible d'éviter l'épisiotomie par des massages adéquats du périnée avec des huiles essentielles. Les cours prénatals sont en mesure de vous enseigner comment les accomplir correctement. Cependant, si une épisiotomie a été faite lors de votre accouchement, une cicatrisation efficace des points est aussi possible grâce aux huiles essentielles. Pour ce faire, il suffit de prendre des bains de siège. Dans un litre d'eau tiède, ajoutez trois gouttes d'huile essentielle de lavande et deux gouttes d'huile essentielle de camomille, ou encore deux gouttes de lavande, une goutte d'orange et deux gouttes de camomille. Trempez l'endroit affecté plusieurs fois par jour dans ce bain de siège pour une cicatrisation plus rapide et un soulagement assuré.

Estomac : En usage interne, et sans l'avis d'un thérapeute, les huiles essentielles peuvent parfois endommager la muqueuse digestive. C'est pourquoi nous recommandons fortement de les utiliser le plus souvent possible en usage externe. Toutefois, certains problèmes relatifs à l'estomac peuvent être traités de manière très efficace. En massage ou en compresse sur l'estomac, l'huile essentielle de camomille calme l'estomac stressé ou aux prises avec une indigestion, tandis que l'huile essentielle de menthe atténue les nausées.

État de choc : Que vous soyez en état de choc ou qu'une personne à proximité de vous le soit, un moyen rapide d'atténuer cet état est d'inhaler de l'huile essentielle de menthe ou de néroli, directement de la bouteille ou dans un mouchoir imbibé. Le meilleur remède pour calmer les paniques, les angoisses, les états de choc à la suite d'accidents, ou pour rétablir une personne évanouie, est sans aucun doute le *Rescue remedy* du docteur Bach. Cette petite bouteille, disponible dans les magasins de produits naturels, chez tout aromathérapeute ou homéopathe, est essentielle. Ce remède devrait toujours être à la portée de la main. Il suffit de déposer quatre gouttes sous la langue, au besoin. L'homéopathie utilise beaucoup l'arnica en granules. Il est important de savoir qu'on ne mélange pas l'huile essentielle de menthe avec les produits homéopathiques, puisqu'elle constitue un antidote pour eux.

Évanouissements : Ils peuvent survenir à la suite d'un choc, d'une grande émotion, d'une grande peur, d'un mauvais état de santé. Heureusement, cet état n'est que temporaire et peut revenir à la normale si l'on allonge la personne pour que le sang puisse retrouver son cours normal jusqu'au cerveau. Plusieurs huiles essentielles contribuent à redonner conscience. Par exemple, les huiles essentielles de néroli et de menthe sont efficaces en inhalation directe si la personne se sent sur le point d'évanouir. Si vous n'avez pas une de ces huiles sous la main, vous pouvez également utiliser la lavande et le romarin. Un massage sur les tempes avec une de ces huiles essentielles a également de très bons effets pour aider la personne à retrouver ses sens. Il est important de ne jamais donner de boisson alcoolisée à une personne qui vient de s'évanouir. Une boisson chaude, comme une tisane à la menthe, sera d'un recours idéal. Si les évanouissements surviennent fréquemment et sans raison apparente, il est primordial de consulter un spécialiste de la santé à ce sujet.

Expectorant : Un expectorant contribue à aider l'évacuation du mucus qui irrite les membranes internes du corps. Les huiles essentielles ayant la qualité d'être expectorantes sont l'eucalyptus, la marjolaine, l'origan et le cèdre. À utiliser en inhalation pure ou à l'aide d'un mouchoir imbibé.

Fatigue mentale : La fatigue du corps s'accompagne régulièrement d'une fatigue de l'esprit. Pour y remédier, des huiles essentielles ayant des propriétés stimulantes ou céphaliques aideront grandement. Il est important de ne pas utiliser ces huiles pour une longue période consécutive ; prenez-les au besoin seulement, pour que leurs effets thérapeutiques ne soient pas atténués. Le basilic, la menthe poivrée et le romarin sont les huiles essentielles les plus utilisées. Un bain aromatique composé de six gouttes d'huile essentielle de romarin diluées dans un peu d'huile d'amande douce est idéal pour le réveil matinal. La menthe aide à réveiller les esprits, c'est pourquoi il est bon de la boire en tisane. Le meilleur moyen de retrouver son énergie mentale est d'utiliser l'huile essentielle de romarin en diffusion dans l'atmosphère. Pour les personnes qui désirent rester éveillées pour une longue période continue, comme lors des longs voyages en voiture, il suffit de déposer quelques gouttes d'huile de menthe, de romarin ou de basilic sur les poignets. Le simple mouvement des mains sur le volant dégagera l'arôme bénéfique.

Fièvre : La fièvre n'est en réalité qu'un moyen naturel qu'a le corps pour détruire les virus. Si l'on veut détruire les microbes présents dans l'eau, nous la faisons bouillir. Le même phénomène est présent avec le corps : il élève sa température pour détruire les bactéries, les microbes et les virus qui sont en trop grand nombre. Cependant, il arrive parfois que cette température puisse monter dangereusement, comme l'on voit souvent chez les enfants. C'est à ce moment qu'il faut intervenir pour aider le corps à retrouver sa température normale. Les huiles essentielles aideront à baisser la température du corps si elle est trop élevée. La bergamote, la lavande et l'eucalyptus ont la particularité d'abaisser la température d'une personne fiévreuse. Pour ce faire, il est bon d'utiliser cinq gouttes de ces huiles dans un bol d'eau et de l'appliquer en compresse sur le front et le corps. Un massage doux avec une compresse aidera à baisser graduellement la fièvre.

Flatulences (ou gaz intestinaux) : Les flatulences, également appelées flatuosités ou gaz intestinaux, sont causés principalement par une fermentation des protéines non digérées dans l'estomac. Souvent, ces gaz font leur chemin jusqu'à l'intestin. Les huiles essentielles aideront à prévenir cette fermentation, en plus d'aider une meilleure digestion des aliments. Faites un mélange de cinq gouttes d'huiles essentielles de menthe, de carvi et d'anis dans une cuillère à soupe d'huile d'amande douce, et massez le bas du ventre avec ce baume. Il est également très bon de prendre une goutte d'une de ces huiles essentielles après un repas lourd pour faciliter la digestion.

Grippe : La grippe doit se traiter dès les premiers signes avant-coureurs de l'infection. Il est très bénéfique de prendre un bain avec des huiles essentielles ayant des propriétés antivirales (substances actives contre les virus), de se frictionner la plante des pieds avec ces huiles, de prendre du repos et de boire beaucoup de liquide (pour favoriser l'élimination). Lorsqu'elles sont diffusées dans l'air toute la journée, ces huiles sont antiseptiques et préviennent l'infection. L'huile la plus efficace pour traiter la grippe est sans aucun doute le ti-tree. Certaines personnes trouveront cette huile un peu irritante pour la peau. Il suffira alors de ne prendre que trois à quatre gouttes. Si vous ne possédez pas de ti-tree dans votre pharmacie naturelle, les huiles essentielles de lavande et d'eucalyptus sont aussi très efficaces pour le traitement contre la grippe. Si vous prenez un bain, il suffit de diluer trois à quatre gouttes de ces huiles essentielles dans un solvant naturel et de les ajouter à l'eau. Ce type de traitement ne vise pas à « endormir » les symptômes de la grippe, comme la plupart des médicaments disponibles sur le marché. Au contraire, les huiles essentielles renforcent le système immunitaire. Si l'approche des huiles essentielles en traitement n'élimine pas complètement la grippe, elle va sûrement contribuer à en raccourcir la durée. Voici un exemple de bain thérapeutique que vous pouvez prendre plusieurs fois pendant la journée pour réduire l'infection et les symptômes de la grippe : huit gouttes d'huile essentielle de ti-tree dans un quart de tasse d'huile d'amande douce, ou quatre gouttes d'huile essentielle d'eucalyptus et quatre gouttes d'huile essentielle de lavande, toujours dans un quart de tasse d'huile d'amande douce. Ces huiles sont également bienfaisantes lorsqu'elles sont diffusées dans l'air, toute la journée.

Grossesse : Ce merveilleux moment de la vie veut que l'on porte une attention toute particulière à son corps. Certaines huiles essentielles sont très bénéfiques pour la future maman. Il est important, cependant, d'en user avec modération et de savoir que quelques-unes d'entre elles sont à éviter pendant les mois de grossesse. Les huiles dites « emménagogues », c'est-à-dire qu'elles provoquent ou régularisent les menstruations, ne doivent pas être utilisées. Ce sont : l'anis, l'arnica, le basilic, le camphre, le cèdre, la sauge sclarée, le cyprès, l'hysope, le jasmin, le genièvre, la marjolaine, la myrrhe, l'origan, la menthe, la rose, le romarin, la sarriette et le thym. Pendant les premiers mois de la grossesse, les huiles essentielles de camomille et de lavande peuvent être utilisées, mais à petites doses seulement. Plus tard, soit vers le sixième mois de la grossesse, la lavande est très bénéfique, surtout pour atténuer les maux de dos. Pour alléger les nausées, qui surviennent surtout pendant les trois premiers mois, on peut boire un thé de gingembre (en herbe) sans danger. La menthe devrait toujours être évitée. Les massages sont également très appréciés, tant par la future maman que par le bébé. Ils aident à calmer l'enfant, et cela se voit même après la naissance. L'huile d'amande douce et l'huile de germe de blé devraient être utilisées abondamment en massage sur le ventre et sur les hanches, afin d'éviter les vergetures. La rétention d'eau est un problème vécu fréquemment par les femmes enceintes, surtout dans les derniers mois de la grossesse. Elle peut être soulagée avec une huile à massage composée de 10 gouttes d'huile essentielle de géranium dans un quart de tasse d'huile d'amande douce. Le massage sera plus efficace s'il est fait avec des mouvements qui se dirigent vers le haut. En dernier lieu, toute femme enceinte devrait éviter le sel, le café et le thé.

Haute pression (*voir* Hypertension)

Hémorroïdes : Ces varices des veines de l'anus sont généralement très douloureuses. On distingue les hémorroïdes externes des hémorroïdes internes, situées à l'intérieur du canal anal. Les personnes qui en souffrent sont souvent constipées, enceintes ou encore arthritiques sédentaires. En période de grossesse, les hémorroïdes sont causées principalement par la pression de l'utérus sur le rectum. Plusieurs huiles essentielles contribuent à diminuer la douleur et à améliorer la circulation si on les utilise localement. Le cyprès et le genièvre peuvent s'appliquer directement sur les hémorroïdes. L'ail aide également à réduire l'apparition d'hémorroïdes, qu'il soit pris en capsules ou frais.

Herpès : L'herpès, communément appelé « feu sauvage », est une affection aiguë de la peau et des muqueuses, qui se caractérise par une éruption cutanée groupée en bouquets sur une base enflammée. Une sensation de brûlure précède l'apparition des boutons. L'herpès buccal est causé par un virus que plusieurs personnes possèdent en elles sans toutefois le développer. L'herpès buccal peut apparaître à la suite d'une infection, d'une fièvre ou d'une fatigue accumulée. Chez certaines personnes, elle peut apparaître lorsqu'il fait très chaud ou très froid. L'herpès génital (maladie transmise sexuellement) devrait être traitée par un médecin. Mais l'herpès buccal se traite rapidement à l'aide des huiles essentielles. La bergamote, l'eucalyptus et le ti-tree sont des huiles très efficaces, surtout si elles sont appliquées dès les premières manifestations de l'herpès. Plusieurs applications de ces huiles essentielles pures directement sur le « feu sauvage » arrêteront dans la majorité des cas l'expansion et l'apparition de l'herpès.

Hypertension : L'hypertension ou haute pression survient la plupart du temps à la suite de fortes émotions ou d'un stress accumulé. La situation revient toutefois rapidement à la normale. Si la pression demeure élevée, elle peut devenir dangereuse, surtout parce qu'elle cause une usure anormale du cœur. L'hypertension peut également endommager les reins. Les huiles essentielles de lavande, de marjolaine et de ylang-ylang aideront à faire baisser la pression et calmeront l'anxiété que vit la personne aux prises avec ce malaise. Ces huiles sont bénéfiques en massage, diluées dans un solvant naturel. Les personnes souffrant d'hypertension doivent consulter un professionnel de la santé, avoir une saine alimentation, faire de l'exercice et prendre du repos.

Hypotension : Également appelée basse pression, l'hypotension est une tension artérielle inférieure à la normale. Moins répandue que l'hypertension, la basse pression est d'ailleurs beaucoup moins dangereuse. Toutefois, les personnes qui en souffrent sont plus propices aux vertiges et aux évanouissements parce que le sang se rend moins facilement au cerveau, à cause d'une circulation plus lente. Ces symptômes peuvent également s'accompagner de fatigue et de frilosité. L'huile essentielle de romarin est la plus efficace pour élever la pression du corps et la rendre plus normale. C'est une huile tonique et stimulante, qui contribue à améliorer la situation des gens qui souffrent d'hypotension. D'autres huiles peuvent aider à réduire les symptômes, soit les huiles essentielles de poivre noir et la menthe poivrée. Cette dernière est très utile en cas d'évanouissements. Il est important de ne pas en abuser. Ces huiles essentielles peuvent être utilisées en massage ou en friction, surtout le matin. Par exemple, 15 gouttes d'huile essentielle de romarin dans 30 mL d'huile d'amande douce constitue un excellent mélange pour un massage tonique sur tout le corps, après la douche.

Impuissance : L'impuissance sexuelle est une situation très délicate à vivre pour un homme et sa partenaire. Les causes sont le plus souvent de nature psychologique et émotionnelle, tels le stress, l'anxiété, le travail ou encore les problèmes financiers. Les huiles essentielles ne pourront remédier complètement à ce problème, mais elles s'avéreront d'une aide précieuse pour l'atténuer. Les huiles ayant la propriété d'être aphrodisiaques peuvent être très efficaces. Appliquées en massage, elles aideront à relaxer le corps et apporteront une touche thérapeutique bénéfique. Les bains aromatiques avant le coucher sont également à conseiller. Les huiles essentielles comme le bois de santal (arôme masculin), le jasmin, le néroli (qui diminue l'anxiété), la sauge sclarée (très relaxante et euphorique à la fois) sont excellentes puisqu'elles sont aphrodisiaques. Note: L'huile essentielle de sauge ne devrait jamais être utilisée avec de l'alcool (comme le vin, la bière et tout spiritueux). De toute façon, l'alcool, surtout lorsqu'il est consommé en grande quantité, est un des ennemis de la virilité...

Indigestion : L'indigestion peut être soulagée par un massage sur l'estomac avec des huiles calmantes comme la camomille, la lavande ou la marjolaine. Une indigestion alimentaire importante doit être traitée rapidement, et l'aide d'un médecin peut souvent être nécessaire. Pour la digestion qui se fait difficilement, comme à la suite d'un repas lourd, une compresse avec une de ces huiles, appliquée sur l'estomac, sera d'un grand soulagement. L'huile essentielle de menthe est également reconnue pour faciliter la digestion. Une goutte de cette huile sur le dos de la main et une goutte déposée sur la langue toutes les 30 minutes sera un excellent traitement. Si la digestion est difficile sur une base quotidienne, il est important de changer son alimentation. Évitez toutes épices, les nourritures lourdes et le gras puisqu'ils augmentent l'acidité de l'estomac. La relaxation est une bonne habitude à prendre pour les personnes aux prises avec des problèmes de digestion.

Infection : La plupart des huiles essentielles sont excellentes pour combattre l'infection. Elles évitent la contagion et sont utilisées fréquemment dans les hôpitaux d'Europe pour la désinfection des chambres de malades. Les huiles essentielles ont la propriété de développer l'habileté du corps à se défendre contre les virus et les bactéries, puisqu'elles les attaquent directement. De plus, elles aident à prévenir la diffusion des virus dans le corps. Les huiles essentielles suivantes sont antiseptiques et bactéricides : la lavande, le romarin, l'eucalyptus, le ti-tree, la bergamote, le genièvre et le citron. Certes, toutes les huiles essentielles ont des propriétés antiseptiques, mais celles-ci sont les plus efficaces. La meilleure façon de les utiliser est la diffusion, afin de prévenir l'infection dans la maison. Les bains aromatiques sont également très efficaces contre l'infection. Ne faites jamais de massage s'il y a un début de fièvre, puisque le corps est en train de combattre lui-même les infections internes. Pour diminuer toute infection, le massage des pieds avec les huiles essentielles nommées précédemment est une méthode très efficace.

Inflammation : Une inflammation survient normalement à la suite d'une agression traumatique, chimique ou microbienne de l'organisme. Cette réaction se manifeste par des chaleurs, des rougeurs, des douleurs, et une augmentation de volume d'une partie du corps. Qu'il s'agisse d'un accident, d'une brûlure, d'un agent irritant ou d'une bactérie, l'inflammation est un signe de défense du corps. L'huile essentielle de camomille est considérée comme l'anti-inflammatoire par excellence. Vient ensuite l'huile essentielle de lavande. En compresse chaude, ces huiles sont très apaisantes. Il suffit d'ajouter cinq gouttes d'huile dans l'eau chaude. Si l'inflammation est causée par un problème de peau, appliquez à l'aide d'une ouate de coton trois gouttes d'huile essentielle de camomille avec un peu d'eau directement sur la surface touchée.

Inflammation de la vessie (*voir* Cystite)

Inflammation du foie (*voir* Néphrite)

Inhalation : Les inhalations sont utilisées depuis des siècles pour les problèmes respiratoires. La façon la plus pratique d'inhaler les huiles essentielles est de verser cinq gouttes d'une huile essentielle au choix dans un bol d'eau chaude et de respirer la vapeur en présentant le visage au-dessus du récipient. Inhalez de cinq à sept minutes.

Insomnie : Plusieurs huiles essentielles sont bénéfiques pour s'endormir sans difficultés, et ce, sans l'aide de somnifères. Ces médicaments ont souvent des effets secondaires que l'on peut éviter en utilisant des huiles essentielles, puisqu'elles sont tout à fait naturelles. On aimera les prendre lors d'un bain et en déposer quelques gouttes sur son oreiller. La lavande, la camomille et le néroli (ou l'orange) sont des huiles qui favorisent le sommeil. Ces huiles essentielles travaillent profondément sur les émotions et sur le plan psychologique. Elles sont calmantes, rééquilibrantes et atténuent l'anxiété. La bergamote est également un bon choix si les insomnies sont causées par une dépression et l'anxiété. Vous pouvez mélanger ces huiles ou les utiliser seules. Un bon bain qui enlève toute trace d'insomnie se compose de six à huit gouttes d'huile essentielle au choix (lavande, camomille, bergamote ou néroli), dans un peu de lait en poudre ou d'huile d'amande douce. À la sortie du bain, ne vous essuyez pas ; enfilez plutôt un peignoir et allongez-vous afin de laisser les huiles faire leur travail. Il est important de consulter un médecin si les insomnies sont fréquentes, car elles sont peut-être causées par un problème physique. Les massages sont aussi bienfaisants pour la relaxation et l'apaisement du corps et de l'esprit, outils nécessaires à un sommeil paisible.

Laryngite : C'est une inflammation du larynx. Les laryngites simples sont aiguës ou chroniques. La laryngite aiguë survient sous l'influence du froid, d'un effort vocalé par inhalation de poussières ou de gaz irritants, etc. On l'observe également au début de certaines fièvres. Elle se manifeste surtout par des modifications de la voix, une toux rauque et douloureuse ainsi que des crachats fréquents. La laryngite chronique est une suite de laryngites aiguës. La voix est rauque et on constate souvent une extinction. Le repos complet de l'organe et l'utilisation des huiles essentielles de citron, de lavande et de ti-tree en massage sur la gorge guérissent promptement la laryngite, surtout si elle est causée par une infection.

Leucorrhée : On l'appelle communément chez les femmes des «pertes blanches». Cet écoulement blanchâtre, muqueux ou purulent provient des parties génitales de la femme. La leucorrhée peut être un symptôme d'une infection ou d'une irritation prochaine. Le *candida albingan* en est souvent responsable. Il est important de consulter un médecin afin de définir la cause de ces écoulements. Un traitement naturel peut être fait à la maison, soit des douches vaginales contenant une à deux gouttes d'huile essentielle de bergamote ou de lavande dans l'eau de la poire vaginale. Il est également possible de prévenir les pertes blanches pendant les menstruations en déposant une goutte d'huile essentielle de lavande sur la serviette hygiénique ou le tampon.

Lymphe (système lymphatique): La lymphe est le liquide riche en protéines qui circule dans l'organisme. La lymphe est le véritable milieu intérieur dans lequel baignent les cellules. C'est un liquide qui sert d'intermédiaire entre le sang et les constituants des cellules. Il circule dans le système lymphatique qui comprend des vaisseaux et des ganglions longeant le système circulatoire. En charge de nettoyer le sang, il se retrouve également dans l'intestin grêle où il s'occupe des graisses de la digestion. Une autre fonction du système lymphatique consiste à drainer les liquides, ce qui assure une bonne circulation. Si ce drainage ne répond pas efficacement, la rétention d'eau et la cellulite apparaissent. Pour faciliter le drainage lymphatique, certaines huiles essentielles sont très efficaces telles que le géranium, le genièvre et le romarin, que ce soit en compresse, en massage ou en bains aromatiques.

Maux de dents: Certaines huiles essentielles sont incomparables lorsqu'il s'agit de maux de dents subits. L'huile de girofle appliquée pure sur la dent agira comme un véritable anesthésiant et préviendra l'infection. Dans le cas d'une dent qui a perdu son obturation, on peut déposer un clou de girofle entier directement sur la dent. Un autre traitement efficace consiste à frotter la gencive avec l'huile essentielle de girofle ou à déposer quelques gouttes sur une ouate de coton et à la mordre avec les dents. Pour tous les types de maux de dents, et surtout pour les abcès buccaux, une compresse d'eau chaude à l'huile essentielle de camomille devrait être appliquée sur les joues.

Maux de dos : Les personnes qui souffrent de maux de dos véritables et habituellement insupportables consultent souvent un thérapeute. L'aromathérapie est idéale pour les maux de dos, à titre de complément avec un autre traitement, comme la massothérapie. Les huiles essentielles qui soulagent le plus, lors d'un massage, sont la lavande, la marjolaine et le romarin. Selon la gravité des maux de dos, il est conseillé de consulter un spécialiste de la santé. Ces maux sont souvent reliés à des problèmes d'ordre physique, émotionnel et même psychologique.

Maux de gorge : Généralement causés par une infection, une bactérie ou un virus, les maux de gorge doivent être traités dès leurs premières apparitions. Un mélange d'huiles essentielles de citron, de ti-tree et de lavande s'avère particulièrement bénéfique. Deux gouttes de chacune de ces huiles dans une cuillère à soupe d'huile d'amande douce, que l'on frotte sur la gorge aux trois heures, est un traitement qui soulage, surtout si vous l'accompagnez d'une goutte d'huile essentielle de citron avalée toutes les heures. Si le mal de gorge persiste plus de deux jours malgré ces soins, consultez un médecin.

Mémoire : L'huile essentielle de romarin est depuis longtemps reconnue pour aider la mémoire. Il est intéressant de constater que la partie du cerveau qui enregistre les odeurs est à côté de celle qui enregistre les souvenirs. C'est ce qui explique que plusieurs souvenirs se déclenchent par la présence d'une odeur particulière associée à une période antérieure. Comme aide-mémoire, l'huile essentielle de romarin devrait être inhalée plusieurs fois par jour, dans le creux de la main.

Ménopause : L'âge auquel apparaît la ménopause est variable. Il dépend souvent même de la race et du climat. Habituellement, elle a lieu entre 40 et 50 ans. L'arrêt définitif de l'ovulation, qui mène naturellement à l'arrêt des menstruations, est d'ailleurs annoncé par un certain nombre de troubles vécus par la femme : diminution puis irrégularité de l'écoulement sanguin (parfois le contraire peut survenir par des saignements plus abondants qui ressemblent à des hémorragies), des bouffées de chaleur, une pesanteur dans la région du bassin, des migraines, des changements d'humeur et des symptômes de dépression. On observe parfois un retour subit des menstruations après un arrêt de plusieurs années. Mais lorsque l'équilibre organique est reconquis, la femme jouit parfois d'une santé meilleure qu'avant la ménopause. L'aromathérapie est bénéfique dans le traitement de la ménopause, mais elle doit être personnalisée. Certaines huiles calmeront, d'autres rééquilibreront les hormones. L'huile essentielle de camomille est calmante, relaxante et antidépressive. Toutes les huiles antidépressives peuvent aider les femmes qui vivent la période de la ménopause. On y retrouve la sauge, la bergamote, le jasmin, la lavande, le néroli, le bois de santal et le ylang-ylang. Un supplément de minéraux et de complexe B aideront à atténuer les symptômes. Une bonne nutrition, de l'exercice et de la relaxation contribueront à franchir les étapes souvent difficiles de cette période naturelle de la vie.

Menstruations : Plusieurs femmes sont aux prises chaque mois avec des menstruations difficiles et pénibles à vivre. Les problèmes les plus fréquemment rencontrés sont des crampes, des spasmes utérins, des douleurs ressemblant à de petites contractions, un affaiblissement général du corps et un esprit chagrin. Des massages et des compresses chaudes avec des huiles essentielles qui soulagent et qui relaxent aideront à alléger cette période douloureuse. Les huiles essentielles les plus efficaces sont certainement la lavande, la camomille et la marjolaine. Elles s'appliquent facilement en massage, à raison de trois à quatre gouttes dans un solvant naturel, et en compresse, diluées dans de l'eau chaude. L'huile essentielle de sauge sclarée apaise grandement les douleurs menstruelles. Il suffit de déposer une goutte de cette huile pure dans le nombril. La douleur disparaît dès la première ou la seconde application.

Migraines et maux de tête : De manière générale, l'aromathérapie est plus utilisée pour un traitement préventif que pour un traitement direct des migraines et des maux de tête, parce que la personne souffrante tolère difficilement l'odeur des huiles essentielles. Si, toutefois, l'odeur est tolérable pour cette personne, les huiles essentielles de lavande et de menthe seront très utiles en compresse froide sur les tempes. Il suffit d'ajouter cinq gouttes (au total) de ces huiles dans un bol d'eau froide. En compresse chaude, les huiles essentielles de marjolaine et de camomille sont également très apaisantes. Les migraines surviennent à tous les âges, chez l'homme comme chez la femme. Elles se rencontrent souvent à la puberté et après la quarantaine. Les aliments à éviter pour les gens aux prises avec de violents maux de tête et des migraines sont principalement le chocolat, le fromage et le vin rouge.

Muscles : Les huiles essentielles sont très bonnes pour le système musculaire. Pour les douleurs musculaires, les huiles essentielles de camomille, de lavande, de marjolaine et de romarin sont particulièrement efficaces en massage. Les huiles essentielles de romarin et de genièvre utilisées en friction aideront à réchauffer les muscles avant un effort physique, particulièrement pour les athlètes, avant et après l'entraînement. Lorsqu'un muscle est endolori, la meilleure façon de le soulager est d'appliquer une de ces huiles essentielles en compresse chaude sur les parties souffrantes.

Néphrite : Cette inflammation du rein, chronique ou aiguë, apparaît souvent à la suite d'une infection. L'aromathérapie est un traitement qui peut aider à réduire la douleur, mais il faut habituellement être suivi par un médecin pour obtenir une guérison complète. Les huiles ayant les propriétés de réduire l'inflammation et de purifier les reins sont la camomille, le cèdre et le genièvre. Il est conseillé d'utiliser ces huiles essentielles en petites doses, de préférence lors de bains thérapeutiques. À verser dans l'eau du bain — et également utile pour un massage sur la région des reins —, un mélange de cinq gouttes d'une de ces trois huiles dans un quart de tasse d'huile d'amande douce sera d'un bienfait certain contre la douleur.

Nerf sciatique : Ce nerf innerve les muscles de la cuisse et de la jambe. Il commence au pelvis et se termine à la base des pieds. Le terme «sciatique» détermine spécifiquement l'affection très douloureuse du nerf sciatique, causée le plus souvent par la compression de ses racines. La douleur se retrouve principalement dans le bas du dos et suit tout le nerf. Soulager seulement la douleur que provoque cette affection n'est pas un traitement en soi. Il faut trouver la cause de cette affection et la consultation d'un ostéopathe est souvent nécessaire. Lorsque la douleur est intense, le massage n'est pas à conseiller. Il faut plutôt mettre des compresses froides avec des huiles de camomille ou de lavande qui contribueront à réduire l'affection et la douleur.

Névralgie : Cette douleur vive est ressentie sur le trajet d'un nerf. Les névralgies les plus courantes sont celles du visage. La douleur peut être très intense, selon le degré d'importance de la névralgie. Les huiles essentielles à utiliser pour ce traitement doivent avoir des propriétés analgésiques et calmantes. En compresse chaude, il est conseillé d'utiliser la camomille, la sauge sclarée, la marjolaine, la lavande et le romarin (trois à cinq gouttes d'une de ces huiles au choix dans un bol d'eau chaude).

Obésité : Certaines huiles essentielles peuvent aider à perdre du poids. Elles ne règleront certainement pas le problème de façon définitive, puisque la perte de poids doit s'accompagner d'une volonté de changer son alimentation et de faire de l'exercice. L'huile essentielle de fenouil aide à réduire la faim. Lors des croisades, on utilisait le fenouil pour franchir de longues distances sans manger. Le fenouil a également des propriétés diurétiques, ce qui permet d'éliminer la rétention d'eau et les intoxications. L'huile essentielle de bergamote peut également être utilisée pour calmer les compulsions alimentaires causées principalement par une mauvaise gérance des émotions.

Œdème : On l'appelle communément la rétention d'eau. L'œdème peut se retrouver à un endroit précis du corps, comme aux articulations, aux chevilles et aux jambes. Elle peut affecter également tout le corps. Elle survient généralement à la suite d'une infection, parfois des reins. Ce type d'œdème important n'est pas du ressort de l'aromathérapie. Plusieurs autres types de rétention d'eau peuvent être traités naturellement grâce aux huiles essentielles. Par exemple, lorsqu'elle est causée par le syndrome prémenstruel, elle peut être soulagée grâce à un massage, 10 jours environ avant les menstruations. Les huiles les plus efficaces à utiliser sont le géranium, le romarin, le cyprès, le cèdre et le genièvre. Il est possible de combiner l'huile essentielle de géranium et celle de romarin à une crème neutre et de faire un massage aux endroits propices à l'œdème tous les jours. Ces deux huiles ont un effet thérapeutique sur le système lymphatique, qui est souvent responsable d'un mauvais drainage des toxines.

Otite : Ce terme signifie une infection de l'oreille qui se répand rapidement d'une oreille à l'autre. Elle se développe souvent à la suite d'une grippe mal guérie, d'une sinusite et d'autres problèmes nasaux. L'accumulation de mucus dans le nez est propice à la production de bactéries. Il est important d'éliminer tous les produits laitiers lorsque les symptômes de l'otite se font ressentir. Ces produits sont générateurs de mucus. Les huiles essentielles peuvent être utiles dès les premiers signes de douleur et servent à combattre l'infection. S'il n'y a pas de changement dans les 24 heures qui suivent l'utilisation des huiles essentielles et s'il y a apparition de fièvre, consultez un médecin. Les antibiotiques sont très efficaces dans le cas des otites. L'aromathérapie sera un bon complément aux antibiotiques pour favoriser la reproduction de la flore bactérienne, souvent éliminée par la prise de ce type de médicament. On conseille les huiles essentielles de camomille et de lavande pour réduire la douleur ; il faut les utiliser en compresse. Les mêmes huiles peuvent être utiles en massage autour de l'oreille plusieurs fois par jour. La camomille est une huile essentielle reconnue pour le traitement des otites, et l'ajout de l'huile essentielle de lavande à cette huile soulage davantage. Dans le cas d'infections, vous pouvez déposer trois gouttes d'huile essentielle de lavande diluée dans une cuillère à soupe d'huile d'amande douce, directement dans l'oreille. Il est très important de ne pas faire ce traitement s'il y a perforation du tympan. Cela pourrait s'avérer très dangereux pour l'oreille interne.

Palpitations : Ces battements accélérés du cœur se produisent souvent à la suite de peurs, d'états de choc ou d'anxiété. L'huile essentielle de néroli a la propriété de calmer en profondeur la personne qui est aux prises avec des palpitations cardiaques anormales. En cas d'urgence, faites sentir à la personne cette huile essentielle pure plusieurs fois. Une personne sujette à l'anxiété devrait se faire masser régulièrement. Les huiles de massage pourront se composer de quelques gouttes de camomille, de lavande, de néroli, de rose ou de ylang-ylang, diluées dans un peu d'huile d'amande douce.

Peau : La peau est bien plus qu'une simple enveloppe qui recouvre notre corps. C'est l'organe le plus important de notre corps, puisqu'il est le plus long et le plus étendu. La peau constitue la voie la plus utilisée en aromathérapie. Étant donné qu'elle est un organe d'élimination, elle s'avère essentielle pour l'évacuation des toxines indésirables du corps. Lorsque les autres organes d'élimination tels que les reins et les intestins ne fonctionnent pas correctement, les maladies de peaux apparaissent presque inévitablement, parce que la peau élimine plus de toxines qu'elle ne devrait. La peau est également semi-perméable, ce qui veut dire qu'elle ne laisse filtrer que des molécules ayant une dimension très réduite. Par ailleurs, les huiles essentielles sont constituées de très fines particules, ce qui leur permet de pénétrer facilement les pores de la peau. La pénétration des huiles essentielles dans le système sanguin se fait assez rapidement (environ 20 minutes). L'utilisation externe des huiles essentielles demeure de façon générale le moyen le plus sûr et le plus efficace. Il est important de toujours diluer les huiles essentielles pures dans un solvant naturel (huile d'amande douce, huile de germe de blé, crème neutre, savon liquide, etc.) à moins d'indication contraire.

Peaux grasses : Un excès de sébum peut se produire lorsqu'il y a une surproduction par les glandes sébacées. Le sébum est un lubrifiant naturel nécessaire à toute peau. Il la rend saine et souple. Mais lorsqu'il y a une production excessive de sébum, des points noirs et de l'acné peuvent apparaître sur la peau, signe que les pores de la peau sont bouchés. Ces problèmes se retrouvent surtout pendant la période de l'adolescence, puisque la création du système hormonal amène nécessairement un changement au niveau de la production des différentes glandes. Les huiles essentielles peuvent aider à régulariser la production de sébum et, par le fait même, attaquent les bactéries qui vivent à la surface des peaux grasses. La bergamote, le cèdre, le cyprès, le bois de santal, la combinaison de lavande et de bergamote sont des plus efficaces pour traiter les peaux grasses. L'huile essentielle de bergamote réduit la production de sébum et la lavande a la propriété de la régulariser. Ces deux huiles essentielles sont antiseptiques et empêchent la profusion de bactéries sur la peau. Il est important de ne pas utiliser la combinaison de ces deux huiles plus de deux semaines, puisque la peau s'habitue rapidement à leurs effets et les annule. Une combinaison d'huiles essentielles de bois de santal et de cèdre peut alors être utilisée. Changez de combinaison toutes les deux semaines. Pour l'application sur la peau, faites un mélange de 10 gouttes au total des 2 huiles essentielles et diluez-les dans un quart de tasse de crème neutre ou d'huile d'amande douce. Appliquez matin et soir. Il est bon de se faire un masque à l'argile verte, deux fois par semaine, l'argile verte étant excellente pour drainer les toxines de la peau. Ces huiles peuvent également être utilisées en fumigation (bain de vapeur pour le visage). Les huiles essentielles sont un excellent traitement pour l'acné, parce qu'elles sont naturelles et, surtout, non grasses.

Peaux sensibles : On reconnaît habituellement une peau sensible par sa pâleur sa délicatesse et son aspect presque transparent. Elle réagit plus sérieusement que les autres types de peaux à la chaleur et au froid. Certains produits de beauté, savons et cosmétiques vont produire une irritation dès la première application. La peau sensible brûle facilement au soleil. Il est très important de choisir des huiles essentielles délicates et douces. La camomille, le néroli, la rose et la lavande sont des huiles qui s'adressent spécialement aux peaux sensibles. Ces huiles doivent également être diluées dans de l'huile d'amande douce pour éviter l'irritation et les réactions cutanées. La proportion d'huile essentielle doit être équivalente à un dosage qui serait donné à un enfant. Les eaux florales sont très bonnes pour les peaux sensibles, puisqu'elles sont moins concentrées que les huiles essentielles pures. Elles auront un effet astringeant sur la peau. Toute peau sensible devrait avoir droit à un masque au miel une fois par semaine (voir « Les masques » pour les recettes), et les laits nettoyants devraient être préférés aux crèmes.

Peaux vieillissantes : Plusieurs causes sont à l'origine du vieillissement de la peau. L'âge, le stress, la maladie ou un mauvais traitement au cours des années peuvent transformer la peau et la rendre moins souple et moins saine. L'aromathérapie peut aider à réduire les problèmes de peaux vieillissantes. Un bon apport d'oxygène aidera les cellules cutanées à se régénérer. Des massages faits avec un mélange de crème neutre et d'huiles essentielles aideront la stimulation cellulaire. Un bon traitement facial effectué par une esthéticienne professionnelle une fois par mois contribuera également à ralentir le vieillissement de la peau. Les traitements peuvent être complétés à la maison. Les huiles bénéfiques pour la régénération cellulaire sont le néroli et la lavande. La majorité des peaux deviennent moins grasses en vieillissant. Il est donc important de veiller à rétablir l'équilibre de l'huile naturelle sécrétée par la peau. Les huiles essentielles à utiliser pour rétablir le taux de sébum sont le géranium, le jasmin, le néroli et la rose. Une dilatation des vaisseaux capillaires, appelée couperose, peut apparaître sur la peau ; elle se reconnaît par des taches de coloration rouge. Les huiles essentielles de camomille et de rose aideront à les diminuer. Comme toute crème ou tout produit rajeunissant, la différence ne se voit pas dès la première application d'une huile essentielle sur le visage. De façon générale, le traitement de la peau avec les huiles essentielles donne des résultats après quelques mois d'utilisation. Le changement n'en sera que plus apprécié.

Percée de dents : Cette période est souvent difficile à traverser pour le nourrisson (et les parents...) qui trouvera une sérénité certaine grâce aux huiles essentielles. La lavande et la camomille sont les huiles les plus efficaces à utiliser. L'application se fait sur les joues du bébé. Le mélange est composé de une à deux gouttes d'huile essentielle diluées dans une cuillère à café d'huile d'amande douce. La camomille en granules (produit homéopathique) aide également à soulager la douleur. Donnez au bébé cinq granules au besoin. Pendant la période de percée des dents, la résistance du bébé est plus affaiblie, ce qui amène parfois des coliques, des otites, des éruptions cutanées et des rhumes. Afin de prévenir tous ces petits maux, un massage sur le contour des oreilles avec de la lavande ou de la camomille sera bénéfique et très doux.

Photo sensibilité : Un petit nombre d'huiles essentielles produisent une réaction lorsqu'on les utilise lors d'une exposition aux rayons ultraviolets (comme le soleil ou le bronzage artificiel). Les huiles essentielles à base de citron attirent les rayons du soleil et peuvent produire sur la peau une allergie, des taches brunes ou de petites brûlures. Évitez les huiles essentielles de bergamote, de citron, de lime, d'orange, de petit-grain et de néroli lors d'une exposition au soleil.

Pied d'athlète : Il n'est pas nécessaire d'être un athlète... pour en souffrir! Cette infection fongique (relative aux champignons) est souvent causée par le *candida albingan*. Les huiles essentielles les plus utilisées pour remédier à ce problème sont la lavande, le ti-tree et la myrrhe. Les bains de pieds dans lesquels vous ajoutez une de ces huiles constituent le meilleur traitement. Il est très important de bien nettoyer ses pieds lorsqu'on souffre de pied d'athlète, afin d'éviter que cette situation ne se répète.

Pneumonie : Cette infection aiguë du poumon ne se traite généralement qu'avec une assistance médicale. L'aromathérapie peut cependant s'avérer une aide précieuse en complément d'un traitement. Lorsqu'on souffre d'une infection sérieuse, la prise d'antibiotiques ne devrait jamais être refusée. La nécessité de médicaments amène souvent l'abus, et c'est ce qui est à éviter. La pneumonie est le résultat d'un virus ou d'une bactérie qui infecte le système respiratoire. Les huiles essentielles d'eucalyptus, de lavande, de ti-tree, de pin, de cajeput et de niaouli complètent efficacement tout traitement médical. Pour faire un mélange que l'on appliquera lors d'un massage sur la poitrine, il suffit de diluer 10 gouttes d'une de ces huiles essentielles dans un quart de tasse d'huile d'amande douce. Répétez le massage toutes les demi-heures. Ces massages vigoureux aideront à liquéfier l'excédent de fluides dans les poumons. Il est important d'éviter tout massage lorsqu'il y a présence de fièvre.

Psoriasis : Cette maladie chronique de la peau se caractérise par des plaques rouges recouvertes d'épaisses lamelles blanches qui se détachent. Elle est très difficile à guérir, mais un traitement est toutefois possible avec les huiles essentielles. Certains cas ont étés traités avec succès grâce à l'aromathérapie. La couche supérieure (épiderme) d'une peau normale est constituée de cellules mortes qui sont remplacées par de nouvelles cellules provenant de la surface inférieure (derme). Dans le cas de personnes qui souffrent de psoriasis, les nouvelles cellules se multiplient plus rapidement que les cellules mortes. Ce qui fait qu'en certains endroits de la peau, des plaques rouges et épaisses apparaissent. Le psoriasis ne semble pas être relié aux allergies et cette maladie n'est pas contagieuse. Le stress joue un rôle important dans le développement de la maladie. L'aromathérapie jouera, comme pour plusieurs autres maux, un rôle antidépressif. Toutes les huiles qui ont les propriétés d'être antidépressives et sédatives, aideront à traiter cette infection. La bergamote est la plus bénéfique. En plus d'utiliser cette huile, un traitement naturopathe et nutritif aidera à désintoxiquer le corps des toxines néfastes. L'exclusion de café, d'alcool, de viandes rouges et d'additifs alimentaires a fait ses preuves chez les personnes atteintes de psoriasis. Prendre des vitamines B, C et E ainsi que des minéraux comme le zinc sera très efficace pour améliorer l'état de santé.

Rétention d'eau (*voir* Œdème)

Rhumatisme : Ce nom générique désigne des affections très diverses, caractérisées par une atteinte inflammatoire des os et des articulations. Ces affections peuvent parfois toucher les muscles, les nerfs sensitifs et les nerfs moteurs. L'arthrite est une des affections les plus connues. Les huiles essentielles ayant des propriétés antirhumatismales aideront à soulager la douleur et, dans certains cas, élimineront les toxines qui se logent au niveau des articulations. Les huiles essentielles peuvent être utilisées localement sur les parties sensibles à l'aide de massages et de compresses, mélangées avec de l'argile verte. Toutes les huiles analgésiques comme la camomille, la lavande, la marjolaine et le romarin sont efficaces pour soulager les rhumatismes. Les massages devront être faits régulièrement afin d'activer au maximum la circulation et l'élimination des toxines.

Saignements : Plusieurs huiles essentielles ont la qualité d'arrêter le sang, en aidant la coagulation à se faire rapidement. L'huile essentielle de citron est une des plus efficaces. En la diluant dans un solvant naturel, elle peut être appliquée directement sur les coupures et les lésions causées par de petits accidents. Si l'huile essentielle de citron n'est pas à votre portée, le jus d'un citron pur sera également efficace pour arrêter le sang. De plus, le citron aidera à désinfecter la plaie, grâce à ses propriétés antiseptiques. Les saignements de nez peuvent être arrêtés rapidement en insérant une ouate de coton (ou un coton-tige) imbibée d'huile essentielle de citron dans la narine. À la suite d'une extraction dentaire, une boule de coton imbibée d'huile essentielle de citron pourra être pressée contre la gencive ou mordue directement entre les dents. Un morceau de citron peut également être utilisé. L'huile essentielle de cyprès est, quant à elle, très efficace pour diminuer les menstruations abondantes.

Sédatif : Un bon nombre d'huiles essentielles ont la qualité d'être sédatives. Ces huiles ont également un effet calmant, particulièrement sur le système nerveux central. Les huiles qui agissent contre la douleur, l'anxiété et l'insomnie sont la camomille, la lavande, la bergamote et le néroli. La façon la plus efficace de les utiliser est lors d'un bain aromatique ou d'un massage, préalablement diluées dans un solvant naturel.

Sinusite : Cette inflammation est provoquée par une infection des cavités sinusiennes, causée principalement par une accumulation de mucus dans les sinus. La sinusite peut s'accompagner de maux de tête et d'une impossibilité de bouger la tête sans la présence de vives douleurs. Elle doit être traitée très rapidement, car son aggravation est inévitable. La sinusite chronique peut provenir d'une allergie, le nez étant constamment bouché avec du mucus. Les inhalations fréquentes (cinq à six fois par jour) d'huiles essentielles d'eucalyptus, de lavande, de menthe, de pin, de thym ou de ti-tree, constituent le traitement naturel le plus efficace. La lavande et le thym combattent la douleur. L'eucalyptus, la menthe et le pin aident à enrayer la congestion nasale, tandis que le thym et le ti-tree sont de bons antiseptiques. L'inhalation doit se faire avec cinq gouttes d'une huile essentielle seule ou combinée dans un bol d'eau chaude. Respirez les vapeurs profondément cinq à six minutes. Il est conseillé de prendre des capsules d'ail lorsqu'on est atteint de sinusite puisqu'elles décongestionnent, désintoxiquent et désinfectent tout le corps. Certains aliments ne doivent pas être consommés pendant cette période, comme les produits laitiers et le blé, puisqu'ils sécrètent beaucoup de mucus dans l'organisme.

Soins vétérinaires : Vous apprécierez les huiles essentielles pour les soins qu'elles peuvent apporter à vos animaux domestiques. Surtout utilisées pour la prévention des puces et des parasites qui se logent dans la fourrure de l'animal, les huiles essentielles de bergamote, de géranium et de lavande devraient faire partie de sa petite pharmacie. Pour les chiens, donnez les huiles essentielles lors d'un bain, avec le savon habituel. À sa sortie, épongez l'animal. Pour les chats, utilisez seulement l'huile essentielle de lavande et appliquez quelques gouttes dans vos mains avant de les passer sur sa fourrure.

Spasmes : Il est anormal qu'un muscle se contracte sans qu'il soit suivi d'une période de relaxation. Lorsque ce phénomène se produit, le muscle est alors en spasme et provoque inévitablement une vive douleur. La cause en est de une mauvaise circulation sanguine du muscle, de manque de sodium, de fatigue accumulée, d'exercice excessif, d'accident ou de stress. Les huiles essentielles de bergamote, de camomille, de sauge sclarée, de genièvre, de lavande, de marjolaine et de romarin aideront à relaxer le muscle. L'utilisation en compresses chaudes directement sur la partie souffrante ou en massage constituent les façons les plus efficaces pour soulager rapidement les spasmes musculaires.

Stérilité : L'impossibilité de concevoir un bébé ne se règle pas seulement par l'aromathérapie. Cependant, elle peut contribuer à éliminer les facteurs qui causent l'infertilité. Chez la femme, elle peut être causée par des menstruations irrégulières, déréglant ainsi la période d'ovulation. L'huile essentielle de rose est reconnue pour avoir certaines affinités avec le système reproducteur et s'avère un excellent tonique et nettoyeur utérin. La rose est également bénéfique pour la production de spermatozoïdes. Cette huile essentielle est donc efficace pour les deux partenaires. La stérilité peut générer stress et tension chez les deux conjoints. Il se peut que ces facteurs ne soient pas propices à la création. Prendre des bains et se faire mutuellement des massages peuvent aider grandement à briser ce cercle vicieux. Les bonnes huiles relaxantes à utiliser sont la bergamote, la sauge sclarée, le néroli et la rose. Ces huiles peuvent être combinées ou utilisées seules. Au total, cinq gouttes d'huile essentielle dans un quart de tasse d'huile d'amande douce (pour huile de bain ou de massage). Une bonne alimentation et un apport de vitamine E pour les deux conjoints seront aussi propices à la régularisation du corps.

Stimulant : L'utilisation des huiles essentielles ayant des propriétés stimulantes est beaucoup moins nocive que les autres types de stimulants comme la caféine, l'alcool ou la drogue. On les utilise pour certains efforts exceptionnels à accomplir, qu'ils soient physiques ou intellectuels, pour une convalescence rapide, ou pour redonner une vitalité générale au corps et à l'esprit. Les huiles essentielles les plus stimulantes sont l'eucalyptus, la menthe, le romarin et le poivre noir. Ces huiles sont très efficaces lors d'un massage, en les diluant au préalable dans un solvant naturel, ou en les inhalant, pures, dans le creux de la main.

Stress : Les maladies causées par le stress sont de plus en plus nombreuses de nos jours. Le stress est un ensemble de perturbations biologiques et psychiques provoquées par une agression extérieure. C'est un état de débalancement général. Les sources génératrices de stress ne sont généralement pas les problèmes ou les agressions à l'état pur qui nous sont présentés. Elles se situent davantage au niveau de la manière dont nous réagissons à la situation rencontrée. Le stress a été décrit par le docteur Hans Selye comme étant « le syndrome d'adaptation générale » : la phase d'adaptation cause un certain degré de stress, particulièrement au niveau des glandes surrénales qui sécrètent davantage d'adrénaline. On diminue le stress principalement grâce à des périodes de relaxation : yoga, méditation, massage et exercice. L'aromathérapie est également très efficace pour contrer le stress. Certaines huiles vont renforcer les glandes surrénales. Elles peuvent être utilisées sur une courte période. Les plus bénéfiques sont le géranium et le romarin. Des aliments riches en vitamines B et C, du ginseng et des massages aux huiles essentielles le plus souvent possible sont les clés d'une bonne adaptation du corps au stress.

Syndrome prémenstruel : Ces dernières années, le syndrome prémenstruel a pris une importance considérable dans le domaine médical. Auparavant, on le considérait comme psychosomatique et peu crédible. Les symptômes sont beaucoup trop importants et repérables chez la majorité des femmes pour qu'on le pense imaginaire. On perçoit ce syndrome environ une semaine avant les menstruations, et de manière plus précise, 10 jours avant. Les symptômes physiques sont la rétention d'eau, la sensibilité des seins, un gonflement de l'abdomen, des maux de tête et des nausées. Les symptômes émotionnels peuvent varier de la dépression à l'irritabilité, de la perte de concentration à une violence incontrôlable, et ils peuvent aller jusqu'à un changement total de la personnalité. Plusieurs huiles essentielles contribuent à diminuer les symptômes. Une bonne alimentation doit cependant accompagner ces huiles pour que le traitement puisse être vraiment efficace. Les huiles essentielles de bergamote, de camomille et de rose sont excellentes pour réduire l'irritabilité et la dépression. Les massages sont très bénéfiques dans ce cas. Pour ce qui est de l'alimentation, on doit éliminer pendant cette période tout produit raffiné et riche en matières grasses, tout féculant, le sucre, le thé et le café. Chez certaines femmes, il faut diminuer la consommation de cigarettes ou cesser de fumer.

Système nerveux : L'action des huiles essentielles sur le système nerveux est sans aucun doute très efficace, surtout en massages. Par exemple, les huiles ayant des propriétés analgésiques agiront sur les nerfs qui transmettent la douleur au cerveau, les huiles sédatives vont réduire la trop grande activité du système nerveux et les huiles antispasmodiques seront efficaces pour les nerfs qui provoquent des spasmes. La bergamote, la camomille, la lavande et la marjolaine possèdent ces trois propriétés, tandis que l'eucalyptus, la menthe et le romarin sont analgésiques et antispasmodiques.

Température du corps : C'est connu, la température du corps est d'environ 37 °C. Le contrôle de la température se fait à partir du centre nerveux situé dans le cerveau. C'est cette partie qui contrôle, entre autres, la sueur et la chair de poule, selon le degré de sensibilité de la peau aux éléments extérieurs. Un certain nombre d'huiles essentielles aident à augmenter, à abaisser ou à régulariser la température du corps. L'eucalyptus, la bergamote, la lavande et la menthe poivrée abaissent la température. Les huiles propices à faire augmenter la température sont le cyprès et le romarin. Vous pouvez vous frotter les pieds avec ces huiles lors de fièvres. Pour les nourrissons, une à deux gouttes suffisent ; pour les enfants de deux à sept ans, trois à quatre gouttes ; et pour les adultes, six gouttes. Ces doses doivent être diluées dans un peu d'huile d'amande douce. Surveillez tout particulièrement la température des bébés et des personnes âgées.

Toux : La toux est un réflexe naturel qui consiste en une expiration brusque et sonore de l'air contenu dans les poumons, provoquée par l'irritation des voies respiratoires. En fait, la toux aide à clarifier le passage de ces voies lorsqu'elles sont obstruées par un excès de mucus. L'aromathérapie aide à prévenir les excès de toux et les soulage rapidement. Par l'inhalation, l'huile essentielle de thym s'avère la plus efficace. Les huiles essentielles d'eucalyptus, de lavande, de marjolaine et de bois de santal aident à enrayer la toux.

Tranquillisant : L'aromathérapie offre une méthode naturelle pour aider à traverser les situations stressantes. Les huiles essentielles peuvent même remplacer les tranquillisants chimiques, par un abandon progressif et non draconien. Beaucoup de personnes sont dépendantes des drogues comme le lithium, le Valium et l'Ativan. Les effets secondaires d'une utilisation prolongée de ces médicaments sont des maux de tête, une fatigue anormale, la dépression, des problèmes digestifs, etc. Les huiles essentielles n'ont pas d'effets secondaires et ne créent pas la dépendance de ce type de médicament. Elles peuvent être utilisées lors d'un massage ou d'un bain aromatique. La lavande, le néroli, le ylang-ylang, la bergamote et la camomille sont les huiles les plus tranquillisantes. Si vous désirez cesser de prendre les tranquillisants prescrits, consultez au préalable un spécialiste de la santé.

Ulcère buccal : Les ulcères peuvent provenir d'un frottement continu des dentiers sur les gencives, d'une mauvaise circulation, d'une infection buccale, d'une bactérie, d'une allergie alimentaire, d'une mauvaise alimentation ou encore d'une déficience en vitamine C. Plusieurs huiles essentielles sont utilisées à profit pour traiter les ulcères et donnent en même temps une bonne hygiène buccale. La plus efficace est l'huile essentielle de myrrhe, qui est d'ailleurs utilisée depuis des centaines d'années pour ses effets cicatrisants. Elle est également fongicide (détruit les champignons microscopiques) et prévient ainsi les bactéries qui peuvent se former. La teinture de myrrhe est la plus utilisée si l'huile essentielle n'est pas disponible. De saveur amère, elle s'applique directement sur l'ulcère. Un supplément de vitamine C aidera à guérir la bouche. Si les ulcères persistent et reviennent régulièrement, il est important de s'assurer que l'alimentation est riche en vitamines B et C.

Urticaire : Cette éruption cutanée passagère, qui ressemble à des piqûres de moustiques, est souvent causée par une réaction allergique, en particulier à certains aliments (comme les fraises, les crustacés, etc.). La peau réagit vivement par des rougeurs, des sensations de brûlure et des picotements. Habituellement, l'urticaire disparaît d'elle-même après quelques jours. Les huiles essentielles de camomille et de mélisse sont les plus bénéfiques pour traiter les allergies. Elles contribuent également à réduire le stress qui est souvent une des causes de l'apparition de l'urticaire. Ces deux huiles peuvent être utilisées ensemble, soit une goutte d'huile essentielle de mélisse et deux gouttes d'huile essentielle de camomille, et peuvent être appliquées directement sur les plaies. Pour un bain, il suffit de diluer quatre gouttes de camomille et deux gouttes de mélisse dans un peu d'huile d'amande douce avant de verser dans l'eau courante. Les bains sont particulièrement bénéfiques pour les cas où l'urticaire se retrouve partout sur le corps. Ces huiles essentielles peuvent également être appliquées en compresse.

Varices : Ces dilatations permanentes des veines se retrouvent plus particulièrement sur les jambes.

Elles sont causées généralement par une mauvaise circulation et un manque d'élasticité des vaisseaux sanguins. C'est l'accumulation du sang dans les veines qui obstruent les voies circulatoires. L'aromathérapie aide à prévenir l'apparition des varices. Une des huiles essentielles les plus importantes pour la circulation est le cyprès. Utilisez-la lors d'un massage sur les jambes, en diluant de 10 à 15 gouttes dans 30 mL d'huile d'amande douce ou de crème neutre.

Verrue : C'est une tumeur bénigne de l'épiderme causée par un virus. Elle disparaît dès que le corps développe sa propre immunité face au virus. En aromathérapie, on retrouve un traitement très simple et efficace pour détruire les verrues. Il suffit de mettre une goutte d'huile essentielle de citron sur le bout d'un cure-dent et de le déposer au centre le la verrue. Appliquez ensuite un bandage autour de la verrue et laissez dans cette position toute une nuit. Répétez ce traitement tous les jours jusqu'à ce que la verrue tombe d'elle-même. Certaines verrues disparaîtront très vite (moins d'une semaine). Lorsqu'elles disparaissent, faites un massage avec de l'huile de germe de blé afin de ne pas laisser de cicatrice.

Vomissements : Les vomissements peuvent être soulagés par des massages sur l'estomac ou des compresses chaudes avec des huiles essentielles de camomille, de lavande, de citron ou de menthe. Si les vomissements sont de type émotionnel, les meilleures huiles à choisir sont la lavande et la camomille.

Zona : Cette maladie infectieuse, causée par un virus du groupe herpès, est très douloureuse et s'accompagne de démangeaisons et de rougeurs situées dans la région du torse. Elle suit habituellement un nerf, puisque le virus l'attaque directement. Le mot «zona» provient d'ailleurs du latin et veut dire «ceinture». Le zona survient généralement à la suite d'une fatigue accumulée ou lorsque le système immunitaire est moins résistant. Les huiles essentielles telles que la bergamote, l'eucalyptus et le ti-tree sont très efficaces pour atténuer la douleur et sèchent les plaies. Ces huiles ont la propriété d'être analgésiques et antivirales. Elles peuvent être appliquées pures, en synergie, directement sur les plaies. Il est intéressant de noter que l'huile essentielle de bergamote est un antidépresseur et que le zona est souvent causé par le stress.

Index

Si vous désirez obtenir des informations supplé-
mentaires sur les huiles essentielles, les cours de
formation et les conférences qui se donnent sur ce
sujet, veuillez prendre contact au numéro suivant:

Tél.: (514) 483-6079

Imprimé au Canada